Collection créée

Roméo
et Juliette
(1595-1596)

WILLIAM SHAKESPEARE

MARINETTE FAERBER
Certifiée d'anglais

Sommaire

© HATIER, Paris, août 2007   ISSN 07150-2516   ISBN 978-2-218-92728-7

Toutes les citations renvoient à l'édition du Livre de poche de *Roméo et Juliette*, traduction de François Laroque et Jean-Pierre Villquin, préface et notes de Jean-Pierre Laroque.
© Librairie Générale Française, 2005.

Édition : Luce Camus
Maquette : Tout pour plaire
Mise en page : Nicole Pellieux

FICHE PROFIL

Roméo et Juliette (1595-1596)

William Shakespeare (1564-1616)

Tragédie   XVIe siècle

Acte I. L'action se passe à Vérone où deux familles nobles, les Montaigu et les Capulet, se vouent une haine inexpiable. Dans une rue de Vérone, une rixe éclate entre les valets des deux familles et Escalus, le prince de Vérone, intervient pour y mettre fin. Roméo, fils du vieux Montaigu, est inconsolable car il est amoureux de Rosaline, une jeune fille qui a fait vœu de chasteté. Il se rend avec ses amis au bal des Capulet où, au premier regard, il tombe fou amoureux de Juliette, la fille de Capulet. Le coup de foudre est réciproque mais les jeunes gens découvrent qu'ils sont l'un et l'autre issus des deux familles ennemies.

Acte II. L'histoire d'amour entre Roméo et Juliette évolue très rapidement malgré l'obstacle que constitue la haine entre leurs deux familles. La nuit du bal, dans la célèbre scène du balcon, les amants se déclarent leur amour et, le lendemain, Frère Laurent, ami et confesseur de Roméo, procède à leur union.

Acte III. Tybalt, cousin de Juliette, veut provoquer Roméo en duel parce qu'il s'est rendu au bal des Capulet sans y avoir été invité. Mercutio, ami de Roméo, prend sa défense et se bat avec Tybalt mais ce dernier le tue. Roméo, à son tour, tue Tybalt. Le prince de Vérone bannit Roméo. Frère Laurent conseille à Roméo de faire ses adieux à Juliette puis de s'enfuir à Mantoue. Capulet, qui pense que Juliette est abattue par la mort de Tybalt, pour atténuer la douleur de sa fille, décide de la marier à Pâris.

Acte IV. Juliette est désemparée puisque, étant déjà mariée à Roméo, elle ne peut accepter d'épouser Pâris. Elle va demander conseil au Frère Laurent. Celui-ci lui donne une potion qui la fera passer pour morte alors qu'elle sera seulement plongée dans un sommeil profond. Une fois enterrée dans le tombeau familial, Roméo, mis au courant du plan, viendra la chercher à son réveil et ils s'enfuiront. De retour chez elle, Juliette accepte d'être unie à Pâris. Capulet ayant avancé le mariage d'une journée, Juliette boit la potion le soir même.

Acte V. La lettre où Frère Laurent explique à Roméo que Juliette est seulement endormie, n'arrive pas à Mantoue. Roméo, pensant que Juliette est morte, décide de revenir à Vérone pour mettre fin à ses jours auprès du corps de sa bien-aimée. À l'entrée du caveau des Capulet, il rencontre Pâris. Ils se battent et Pâris meurt. Roméo avale le poison qu'il s'est procuré à Mantoue et rend l'âme aux pieds de Juliette. C'est alors que Juliette s'éveille. À la vue de Roméo mort, elle se poignarde. Le prince, Montaigu et Capulet apprennent de la bouche de Frère Laurent comment ces morts sont arrivées. Et c'est dans ces circonstances tragiques que les deux familles se réconcilient.

PERSONNAGES PRINCIPAUX

– **Roméo**, fils de Montaigu.
– **Mercutio**, ami de Roméo et parent du prince.
– **Benvolio**, ami de Roméo et neveu de Montaigu.
– **Tybalt**, neveu de lady Capulet.
– **Pâris**, parent du prince et prétendant de Juliette.
– **Frère Laurent**, moine franciscain, confesseur et ami de Roméo.
– **Capulet**, ennemi de Montaigu et père de Juliette.
– **Montaigu**, ennemi de Capulet et père de Roméo.
– **Le prince de Vérone**, Escalus.
– **Juliette**, fille de Capulet.
– **La Nourrice** de Juliette.

CLÉS POUR LA LECTURE

1. Le mythe de l'amour : la démesure de leur passion va conduire Roméo et Juliette à une fin tragique.

2. Une tragédie hybride : le passage de la comédie à la tragédie.

3. L'impuissance du couple face au destin et à la pression de la société.

Shakespeare, repères biographiques

LA VIE DE SHAKESPEARE

William Shakespeare naît le 23 avril 1564 à Stratford-upon-Avon, dans le comté du Warwickshire en Angleterre. Il est le fils de Mary Arden et de John Shakespeare, gantier aisé qui accède aux fonctions d'échevin en 1565 puis de bailli en 1568. William est le troisième des huit enfants du couple. Il apprend à lire et à écrire à l'école primaire et, à onze ans, entre à la *grammar school* de la ville. Là, il étudie la grammaire, la logique, la rhétorique et le latin. William ne va pas à l'université mais devient apprenti dans la fabrique de gants de son père.

Ce n'est qu'en 1582 qu'on retrouve la trace du nom de William Shakespeare, sur le registre de la paroisse, aux côtés de celui d'Anne Hathaway. À 18 ans, William a en effet obtenu une dispense pour épouser Anne, 26 ans, enceinte de trois mois. Le couple aura trois enfants : Susanne née en 1583 et les jumeaux, Judith et Hamnet, nés en 1585. Suit la période des « années perdues », durant lesquelles, selon John Aubrey dans *Vies brèves*, Shakespeare a été maître d'école et précepteur. Selon le dramaturge W. Davenant, il aurait également été gardien de chevaux dans les théâtres de Londres puis assistant souffleur. Ensuite, il est possible qu'en 1590 il ait suivi une troupe de comédiens à Londres. Ce n'est qu'en 1592 qu'on retrouve sa trace lorsqu'il est mentionné comme acteur et dramaturge dans un pamphlet de Greene.

De 1592 à 1612, Shakespeare continue de vivre et de jouer la comédie à Londres mais c'est surtout comme dramaturge qu'il est apprécié, aussi bien par la reine Élisabeth Ire (1558-1603) que par son successeur, le roi Jacques Ier (1603-1625). Ainsi, dans un premier temps, il écrit des pièces pour la troupe des Comédiens du Chambellan dont il fait partie puis, à partir de 1603, pour celle des Comédiens du Roi, titre conféré à sa troupe par le roi Jacques Ier.

Les pièces de Shakespeare sont très populaires à l'époque et, en tant qu'actionnaire de sa troupe et en partie propriétaire de son théâtre, le Globe, il acquiert richesse et notoriété. C'est ce qui lui permet d'acheter une maison cossue dans le centre de Stratford, où il se retire vers 1611. Il y meurt cinq ans plus tard, le 23 avril 1616.

ROMÉO ET JULIETTE DANS L'ŒUVRE DE SHAKESPEARE

De 1590 à 1613, Shakespeare écrivit trente-sept pièces de théâtre (drames historiques, comédies, tragédies) et cent cinquante-quatre *Sonnets* (publiés en 1609), œuvre exceptionnelle pour un dramaturge de cette époque. De 1590 à 1597, il compose des drames historiques regroupés en deux tétralogies : la première comprend les trois parties de *Henri VI* et *Richard III*, la seconde comprend *Richard II* et les deux parties de *Henri IV* et *Henri V.* De 1593 à 1600, Shakespeare écrit dix comédies dont les plus connues sont *La Comédie des erreurs*, *La Mégère apprivoisée*, *Le Marchand de Venise*, *Le Songe d'une nuit d'été* (ou *La Nuit des rois*). Suivent des tragédies telles que *Hamlet*, *Othello*, *Macbeth* ou *Roméo et Juliette*, probablement écrites en 1595-1596. Durant les dernières années de sa carrière, Shakespeare compose ce qu'on appelle des « romances », comme *Cymbeline*, *Conte d'hiver* ou *La Tempête*.

Le Songe d'une nuit d'été et *Roméo et Juliette* ont été écrites à la même époque (1595-1596), ce qui explique les similitudes entre les deux pièces : la scène finale et tragique de *Roméo et Juliette* est mise en scène de manière comique dans une pièce jouée par les personnages du *Songe d'une nuit d'été*. Ces deux pièces sont considérées comme des pièces « pivots » dans l'œuvre du dramaturge, car elles marquent le passage de l'écriture des comédies à celle des tragédies.

Seuls les poèmes de l'auteur ont été confiés à un éditeur (*Vénus et Adonis*, 1593; *Le Viol de Lucrèce*, 1594). À l'époque élisabéthaine, le théâtre n'était pas encore considéré comme un genre littéraire à part entière; c'est pourquoi, à la différence de ses poèmes, les pièces de Shakespeare n'ont pas été éditées tout de suite. Certaines pièces ont été imprimées dans des in-quartos mais Shakespeare n'a pas dirigé la publication de son œuvre théâtrale car, comme il en avait vendu les droits à une compagnie de comédiens, il n'avait plus aucun droit d'auteur. Ainsi, l'édition de ses pièces est passée par des intermédiaires qui ont apporté des modifications aux textes initiaux. Il est donc difficile de savoir quelle est la version réelle du dramaturge. Il faudra attendre l'année 1623 pour que deux comédiens de la troupe de Shakespeare réunissent trente-six de ses pièces et les publient dans un in-folio.

PREMIÈRE PARTIE

Résumé
et repères
pour la lecture

PROLOGUE

RÉSUMÉ

Dans le prologue, le Chœur nous annonce que deux familles nobles de Vérone (les Capulet et les Montaigu), qui se vouent depuis des années une haine profonde, sont déchirées par des conflits violents et sanglants. L'intérêt de la pièce se porte sur un couple d'amants, Roméo et Juliette, chacun issu de l'une des familles ennemies.

Le spectateur apprend que ces amants, nés sous une mauvaise étoile, vont mourir et que leur mort mettra fin à la haine entre les deux familles.

REPÈRES POUR LA LECTURE

La fonction du chœur

Le chœur, figure de la tragédie antique, a souvent été repris par les dramaturges de la Renaissance. Cependant, Shakespeare recourt assez peu souvent au chœur, même si deux de ses pièces, *Henri V* et *Conte d'hiver*, en font intervenir un. On peut également faire remarquer qu'un chœur antique se compose habituellement de plusieurs acteurs alors que, dans *Roméo et Juliette*, il se réduit à un seul protagoniste.

Ce prologue, qui se présente sous la forme d'un sonnet de quatorze vers composé de deux quatrains et de deux tercets, a une fonction très importante : il souligne la nature tragique de la pièce, nous informe sur le lieu où elle se déroule et sur sa durée, en résume l'action et la fin. La fonction du prologue, ici, n'est donc pas seulement d'introduire la pièce mais également de la conclure.

Le rôle du destin

Dès le prologue, le chœur attire l'attention du spectateur sur l'importance du rôle joué par le destin dans la vie des amants. L'amour de Roméo et Juliette est d'emblée placé sous le signe de la fatalité. Les deux jeunes gens, de par leur appartenance à des familles ennemies, sont les victimes désignées du destin.

Le chœur souligne aussi l'importance des astres sur leur destinée. En effet, la plupart des Élisabéthains croyaient fermement à l'influence des astres sur le cours de la vie humaine. Par conséquent, le fait que les amants soient « nés sous une mauvaise étoile » (*star-crossed lovers*) préfigure une fin tragique.

L'amour sur fond de violence

Dès les premiers vers, le spectateur est plongé dans l'atmosphère conflictuelle et sanglante que la guerre entre les deux familles fait peser sur la ville. Paradoxalement, c'est cette violence qui va faire surgir le thème de l'amour qui, lui-même, va générer le thème de la mort. Le spectateur apprend donc immédiatement l'impuissance de l'amour de Roméo et Juliette face à la haine inexpiable qui divise leurs familles. Cet amour est sans issue et se terminera comme il a commencé: dans le sang.

ACTE I

ACTE I, SCÈNE 1 (page 23 à 36)

RÉSUMÉ

Dimanche matin, 9 heures. Samson et Grégoire, deux valets des Capulet, se promènent tout en espérant se battre avec deux valets des Montaigu. En voici justement deux qui viennent, qu'ils provoquent. Une bagarre s'ensuit. Benvolio veut mettre fin à la rixe mais Tybalt arrive et le provoque en duel. Le vieux Capulet et le vieux

Montaigu décident de défendre leurs valets respectifs à la pointe de l'épée. Le prince de Vérone, Escalus, met fin à la bagarre rangée en menaçant de mort la famille qui rompra la paix. Montaigu s'inquiète du comportement étrange de son fils Roméo et Benvolio est décidé à découvrir ce qui le chagrine. Roméo est triste car Rosaline, la femme qu'il aime, a fait vœu de chasteté.

REPÈRES POUR LA LECTURE

Une scène de comédie

La pièce débute comme une comédie. En effet, les échanges grivois et les jeux de mots de Samson et Grégoire ainsi que leur manque de courage avant la rixe les rendent comiques. À travers la comédie des valets, la scène se moque du sérieux avec lequel les deux familles prennent leur querelle et, ainsi, alerte les spectateurs sur la futilité et la stupidité de cette haine qui vire à l'obsession.

La présentation de Roméo

Cette première scène nous présente Roméo en proie aux tourments de l'amour. Cependant, le spectateur est surpris d'apprendre que ce n'est pas de Juliette qu'il est amoureux mais d'une certaine Rosaline. Qui est cette Rosaline qui n'apparaît ni dans le titre ni sur la scène ? Dans cette scène 1 de l'acte I, Roméo est présenté comme un soupirant immature qui exprime son amour à travers des couplets tirés de sonnets de Pétrarque. Par conséquent, son amour paraît abstrait tout comme l'est le personnage de Rosaline. Roméo est amoureux de l'idée d'aimer et non pas d'une jeune fille en chair et en os. Cependant, le lyrisme du personnage révèle déjà une nature passionnée que la suite des événements se chargera de dévoiler.

Une présentation de la société véronaise

Cette scène attire l'attention du spectateur sur la société dans laquelle les personnages vont évoluer. La mise en scène de la haine entre les deux familles à travers la rixe de leurs valets respectifs permet à Shakespeare de présenter au spectateur toutes les couches de la société, du bas au haut de l'échelle (le prince Escalus). Le contraste entre les attentes de la société, représentée par la figure du prince qui condamne sans appel la violence qui ronge la cité et exige le rétablissement de la paix, et les passions de l'individu qui désire assouvir sa revanche, constitue l'un des thèmes de la pièce.

ACTE I, SCÈNE 2 (page 36 à 41)

RÉSUMÉ

Dimanche après-midi. Le comte Pâris discute avec Capulet et lui fait part de son désir d'épouser sa fille Juliette. Capulet hésite car, pour lui, Juliette est encore trop jeune. Cependant, il affirme qu'il acceptera sa demande si, de son côté, Juliette consent à l'épouser. Capulet invite Pâris au bal puis donne la liste des invités à un serviteur. Ne sachant pas lire, celui-ci demande à Roméo, qu'il rencontre par hasard, de lui lire les noms des invités. Le nom de Rosaline figure sur la liste et Benvolio suggère à Roméo de se rendre à ce bal.

REPÈRES POUR LA LECTURE

Les conventions du mariage au XVIe siècle

Le mariage de Juliette est le sujet de la conversation entre Capulet et Pâris. Juliette est apparemment très chère à son père car il fait remarquer à Pâris qu'elle est encore bien jeune pour le mariage, puisqu'elle n'a pas encore quatorze ans. On remarquera que, bien qu'elle soit concernée au premier chef, Juliette n'est pas présente lors de cet entretien. En effet, au XVIe siècle, c'était le père qui choisissait le meilleur parti pour sa fille et il semble bien que Capulet ait arrêté son choix sur Pâris. L'avis de Juliette compte peu, et son père peut l'obliger à épouser le comte s'il en a décidé ainsi. Pâris, quant à lui, respecte les usages de l'époque en demandant au père l'autorisation de faire la cour à sa fille.

L'impuissance de l'individu face à la société

Roméo et Juliette semblent impuissants et victimes de la société dans laquelle ils sont nés. Juliette est impuissante face au pouvoir de son père. Son statut de femme ne lui laisse ni le choix ni le pouvoir de ses actes. Dans la société de l'époque, les jeunes filles passaient de l'autorité paternelle à celle de leur mari. Les mariages d'amour étaient rares. Quant à Roméo, son impuissance face à la haine entre les deux familles l'entraînera, malgré lui, dans la violence.

L'influence des parents et les conventions religieuses ou politiques de la société dans laquelle ils sont nés sont des éléments du destin des jeunes amants. C'est l'exercice de ces forces, qu'ils ne peuvent pas contrôler, qui entraînera leur fin tragique.

Le hasard et les coïncidences

Le hasard et les coïncidences sont des outils dramatiques qui vont permettre au destin de déployer son rôle. Le lien ténu entre les coïncidences, le hasard et le destin est le moteur de la tragédie. La scène 1 de l'acte I donne à voir plusieurs exemples de l'intervention du hasard ou de coïncidences : Capulet confie la liste des invités à un serviteur qui ne sait pas lire, et ce dernier rencontre précisément Roméo à qui il demande de lire le nom des invités. C'est grâce à ce concours de circonstances que Roméo apprend que Rosaline est invitée, que le serviteur de Capulet l'invite – ignorant qu'il est un Montaigu – et que Benvolio lui suggère de se rendre au bal. C'est par ce concours de coïncidences que Roméo verra Juliette au bal.

ACTE I, SCÈNE 3 (page 41 à 46)

RÉSUMÉ

Plus tard dans l'après-midi du dimanche. Lady Capulet informe Juliette qu'elle est en âge de penser au mariage et que le jeune comte Pâris la voudrait pour femme. Elle lui dit aussi qu'elle le verra au bal. Juliette accepte le choix de ses parents et promet de prêter attention à Pâris afin de leur faire savoir s'il lui plaît. La Nourrice de Juliette ne cesse d'interrompre lady Capulet en évoquant, de manière grivoise, des souvenirs de Juliette enfant.

REPÈRES POUR LA LECTURE

Juliette, une jeune fille obéissante ?

C'est dans la scène 2 de l'acte I que Juliette apparaît pour la première fois. Elle semble être une jeune fille polie et obéissante, à l'image des femmes élisabéthaines à qui l'on demandait trois vertus : silence, chasteté et obéissance. Lorsque sa mère lui parle du choix de son père et donc de mariage arrangé, Juliette manifeste peu d'enthousiasme mais déclare qu'elle respectera le souhait de ses parents : elle verra qui est Pâris lors du bal.

Les deux mères de Juliette : lady Capulet et la Nourrice

Lady Capulet, la mère de Juliette, est encore une jeune femme (elle a moins de trente ans), que ses parents ont mariée jeune à Capulet, beaucoup plus âgé qu'elle. Avec sa fille, elle se montre froide et nerveuse, et leurs relations paraissent distantes et artificielles. En effet, c'est la Nourrice qui a élevé Juliette. D'une nature affectueuse et chaleureuse, donc à l'opposé de celle de lady Capulet, la Nourrice est comme une seconde mère pour Juliette. Autant la jeune fille semble réservée lorsqu'elle s'adresse à sa mère, autant ses échanges avec la Nourrice montrent qu'elles entretiennent une relation étroite.

L'humour de la nourrice

C'est le personnage de la Nourrice qui apporte la touche humoristique à la scène. En effet, non contrainte par son statut, elle peut être naturelle et franche, dire ce qui lui plaît et parler sans trop réfléchir. Sa liberté de ton contraste avec le sérieux de la conversation de lady Capulet. Lorsqu'elle raconte l'anecdote de l'enfance de Juliette – anecdote dont la connotation sexuelle est évidente –, la Nourrice met mal à l'aise la jeune fille et sa mère, qui aimeraient bien qu'elle tienne sa langue. Mais elle ne peut s'empêcher d'aller jusqu'au bout de l'histoire en en accentuant le caractère grivois, ce qui rend la scène humoristique.

ACTE I, SCÈNE 4 (page 46 à 51)

RÉSUMÉ

Dimanche après-midi. Roméo, Benvolio et un ami, Mercutio, parent du prince, se demandent s'ils iront au bal. Ils décident d'y aller masqués et d'y rester pour une danse. Roméo, encore triste, n'en a pas envie mais il se laisse convaincre par Benvolio et le discours de Mercutio sur la reine Mab[1]. Pourtant, le jeune Montaigu a un mauvais pressentiment.

REPÈRES POUR LA LECTURE

Une scène inutile?

En effet, la scène 4 de l'acte I, où l'action est quasi nulle, donne une apparence d'inutilité. Son importance tient au fait qu'elle termine l'exposition de l'intrigue. Elle donne le ton de la pièce car tous les ingrédients de la tragédie sont désormais réunis: la haine entre les deux familles, la nature romantique de Roméo, la demande en mariage de Pâris, le hasard qui a voulu que Roméo soit invité au bal des Capulet, le jeune âge de Juliette. À la fin de cette scène, le spectateur sait que la tragédie peut intervenir à tout moment et le suspense monte.

Mercutio et le discours sur la reine Mab

Mercutio est un personnage clé de la pièce: vif et réaliste, il divertit ses amis grâce à ses jeux de mots et à ses traits d'esprit. Le discours sur la reine Mab en est l'illustration. S'il se lance dans

---

1. Personnage de fée issu du folklore et très apprécié des Anglais.

ce discours, c'est pour se moquer des souffrances pétrarquistes de Roméo et le convaincre d'aller au bal tout en le mettant d'humeur joyeuse.

Dans ce discours, très imagé, Mercutio évoque la reine Mab, qui crée les songes et les distribue nuit après nuit, qui à tel dormeur, qui à tel autre. Si son évocation commence comme un conte de fées, elle se termine de manière grivoise sur une allusion sexuelle. Par ce discours, Mercutio veut montrer à Roméo qu'il vit dans l'imaginaire et que son amour pour Rosaline est tout aussi « fabriqué » que le sont les rêves de la reine Mab. Il veut lui ouvrir les yeux sur cet amour qui n'existe pas.

Le pressentiment de Roméo

Le pressentiment de Roméo, à la fin de la scène, renforce l'idée que le destin est en marche. Il a la prémonition qu'en se rendant au bal des Capulet, il s'expose à mourir « d'une mort avant terme ». Et cette mort précoce est inscrite dans les astres : il ne pourra donc rien faire pour l'empêcher. Cette prémonition, qui fait écho à la mauvaise étoile sous laquelle les amants sont nés, met fin à l'atmosphère joviale de la scène.

ACTE I, SCÈNE 5 (page 52 à 60)

RÉSUMÉ

Masqués, Roméo, Benvolio et Mercutio entrent dans la demeure des Capulet. Capulet accueille les invités et évoque avec son cousin le temps reculé où lui aussi dansait. Tybalt, le cousin de Juliette, se rend compte de l'intrusion d'un Montaigu et le sang lui monte à la tête. Capulet, qui a reconnu Roméo, ordonne à Tybalt de se calmer mais celui-ci compte bien ne pas en rester là.

Roméo aperçoit Juliette et c'est le coup de foudre. Il s'approche d'elle, lui fait la cour, et ils s'embrassent. La Nourrice les interrompt et apprend à Roméo que Juliette est une Capulet, et à Juliette que Roméo est un Montaigu.

L'amour et la colère

Tybalt informe Capulet qu'un Montaigu s'est glissé parmi les invités, espérant bien recevoir l'ordre de le chasser. Mais Capulet ne l'entend pas de cette oreille. Les mauvaises manières et l'impulsivité de Tybalt, qui risquent de gâcher le bal, énervent davantage Capulet que l'intrusion de Roméo dont il a entendu dire le plus grand bien. Capulet tient à maintenir la paix, comme l'a demandé le prince. Tybalt ne décolère pas car il considère comme un affront l'intrusion d'un Montaigu en terrain ennemi. C'est pourquoi il promet de se venger en le provoquant en duel. C'est dans cette scène qu'apparaît l'ironie dramatique. En effet, si Tybalt avait su que Roméo venait d'avoir le coup de foudre pour Juliette, il n'aurait pas réagi de la sorte. Sa colère contraste avec les sentiments des jeunes amants.

Un amour instantané

Après la colère de Tybalt, la rencontre entre Roméo et Juliette installe un moment de calme et d'intimité : ils sont seuls au monde. Dès le premier regard, c'est le coup de foudre. Cette manifestation subite de l'amour fait qu'ils oublient de se présenter l'un à l'autre et opère en eux une transformation totale : le discours amoureux de Roméo n'est plus creux, il est sincère ; Juliette, elle, se montre plus mûre et plus sûre d'elle-même.

Une série d'images

Lors de leur première rencontre, les quatorze premières lignes de l'échange amoureux entre Roméo et Juliette prennent la forme d'un sonnet très poétique qui fait référence à plusieurs images. Roméo utilise des images liées à la religion : Juliette est comparée à une sainte, Roméo à un pèlerin, et leur amour à une dévotion.

Les images auxquelles recourt Roméo pour décrire Juliette sont celles de la pureté : il la voit comme une colombe couleur de neige, comme un joyau. Toutes comparaisons qui s'opposent aux images sombres avec lesquelles il évoquait son amour pour Rosa-line dans la scène 2 de l'acte I.

ACTE II

RÉSUMÉ

Prologue. L'acte II débute par un prologue. Le chœur résume ce qui vient de se passer: Roméo aime Juliette et il en est aimé. Le fait que chacun appartienne à une famille ennemie renforce leur amour et leur permet de surmonter les obstacles.

Scène 1. Dimanche dans la nuit, après le bal. Roméo se cache dans le jardin de la maison des Capulet. Après l'avoir cherché, Benvolio et Mercutio rentrent chez eux sans l'avoir trouvé. Juliette apparaît au balcon de sa chambre. Se croyant seule, elle révèle son amour pour Roméo. Celui-ci, à son tour, lui avoue son amour et ils décident de se marier le lendemain. Le jour se lève lorsque le couple se dit adieu.

REPÈRES POUR LA LECTURE

L'éloignement du monde familial

Le prologue met l'accent sur la haine qui sépare les deux familles et constitue un obstacle à l'amour du jeune couple. Au début de la scène 1, les amants sont seuls, éloignés de leur famille et de leurs amis. Roméo esquive la présence de Benvolio et Mercutio qui le cherchent. Il veut revoir Juliette; c'est pourquoi il se cache dans le jardin des Capulet. Le mur qu'il a escaladé pour y pénétrer représente l'obstacle familial qu'il a dû surmonter et la séparation entre les amants et leur famille. Roméo a préféré l'amour à la haine.

Les monologues de la scène du balcon

Scène clé de la pièce, la scène du balcon met en avant le thème de l'amour et du romantisme qui s'expriment à travers le langage très poétique des monologues des deux protagonistes. C'est Roméo qui, le premier, exprime ses sentiments pour Juliette : dans un langage métaphorique, il la compare à la lumière du soleil, source d'amour et de chaleur (« Quelle est cette lumière qui brille à la fenêtre ? [...] Juliette est le soleil levant », v. 45-46), tandis que ses yeux sont comparés au scintillement des étoiles. Dans cette scène, Juliette prend la place de Rosaline dans le cœur de Roméo. En effet, dans la scène 1 de l'acte I, Rosaline était comparée à Diane, déesse de la lune (v. 205). L'amour du jeune homme était donc froid comme la lune alors que celui qu'il éprouve pour Juliette le réchauffe et lui rend l'envie de vivre. Paradoxalement, c'est dans l'ombre de la nuit qu'il découvre le soleil incarné par Juliette. Juliette, qui se croit seule, exprime librement son amour pour Roméo, ce qui leur permet d'accélérer les événements en décidant de se marier le lendemain.

Le problème des noms

Dans son monologue, Juliette ne se demande pas où se trouve Roméo mais pourquoi Roméo porte le nom des Montaigu. S'il ne peut se défaire de son nom, Juliette est prête à renoncer au sien pour qu'il n'y ait plus d'obstacle à leur amour. Pour Juliette, le nom « Montaigu » a peu d'importance. En prenant l'exemple d'une rose qui embaumerait tout autant en portant un autre nom, Juliette veut se convaincre que Roméo serait le même si son nom était autre. Un nom ne définit pas l'être d'un homme. Juliette et Roméo sont conscients que le nom qu'ils portent est un obstacle à leur amour. Obstacle majeur qui va modifier leur comportement en accélérant le rythme de leur vie : en effet, Roméo ayant avoué que la mort est pour lui préférable à la séparation, les deux jeunes gens décident de se marier sans attendre.

RÉSUMÉ

Lundi matin, très tôt. Frère Laurent, ami et confesseur de Roméo, cueille des herbes aux vertus médicinales. Roméo le salue, lui apprend qu'il aime Juliette et lui demande de les marier. Après s'être étonné que Roméo ait si vite délaissé Rosaline, il consent à les unir dans l'espoir que ce mariage mette un terme à la querelle entre leurs deux familles.

REPÈRES POUR LA LECTURE

Un mariage salvateur

Frère Laurent (tout comme le prince de Vérone) veut mettre fin à la haine qui déchire les Montaigu et les Capulet. L'Église et l'État font tout ce qui est en leur pouvoir pour ramener la paix dans les rues de Vérone. Pour Frère Laurent, le mariage de Roméo et Juliette est bénéfique ; c'est pourquoi il accepte de les unir. L'intention louable de l'homme d'Église paraît d'autant plus tragique que ce n'est pas l'union des jeunes amants mais leur mort qui va réconcilier les deux familles.

La vertu des plantes

Le monologue qui ouvre la scène montre que Frère Laurent possède des connaissances sur les médicaments et les poisons que l'on peut tirer des plantes. Selon lui, la double vertu – curative ou nocive – des herbes médicinales reflète le monde des hommes qui peut être à la fois bon et mauvais. Ainsi, tout comme le bien et le mal peuvent être réunis en une seule plante, la haine et l'amour peuvent être réunis en une même personne. Ce monologue est prémonitoire : Roméo mourra en avalant du poison.

RÉSUMÉ

Lundi midi. Benvolio et Mercutio se promènent dans Vérone et le premier annonce que Tybalt veut provoquer Roméo en duel. Mercutio se moque de ce duel où s'opposeront un amoureux pleurnichard (Roméo) et un duelliste plus obsédé par ses talents d'escrimeur que par le duel lui-même (Tybalt). Roméo arrive et s'engage avec Mercutio dans une joute verbale pleine d'esprit et de jeux de mots. Lorsque la Nourrice s'approche avec Pierre, son valet, Mercutio se moque d'elle sans vergogne. Roméo demande à la Nourrice de dire à Juliette qu'elle le rejoigne chez Frère Laurent qui les mariera. Ensuite, il rejoindra Juliette dans sa chambre à l'aide de l'échelle de corde qu'il aura fait passer à la Nourrice.

REPÈRES POUR LA LECTURE

La montée du suspense

Cette scène introduit du suspense dans la suite de l'action au sens où nous apprenons que Tybalt a décidé de provoquer Roméo en duel. Cela souligne le tempérament impulsif de Tybalt qui s'oppose à la nature joviale de Mercutio. Le duel annoncé et les préparatifs du mariage provoquent un sentiment d'attente angoissée chez le spectateur.

La joute verbale

L'annonce du duel est suivie du duel verbal entre Roméo et Mercutio puis par celui entre la Nourrice et Mercutio. Dans la joute verbale qui l'oppose à Mercutio, Roméo n'est plus un amoureux mélancolique mais un amant heureux qui exprime son bonheur à coup de traits d'esprit. Les deux hommes se répondent du tac au tac. Constatant que Roméo a retrouvé sa vivacité d'esprit, Mercutio en profite pour échanger avec lui des propos grivois (lignes 82-83, 90-93).

La seconde joute verbale met aux prises Mercutio et la Nourrice. Leur échange est comique car la Nourrice, qui prend des airs de grande dame, se fait tourner en ridicule par Mercutio. Elle réussit néanmoins à se défendre sans rien perdre de sa dignité afin de mener à bien la mission que lui a confiée Juliette : trouver Roméo.

La comédie du bonheur

Le ton de cette scène est très joyeux car elle annonce le mariage prochain de Roméo et Juliette. Mercutio et Roméo s'opposent dans un duel verbal plein de bonne humeur tandis que l'échange entre la Nourrice et Mercutio est comique. Cette scène prépare le spectateur au moment tant attendu du mariage.

ACTE II, SCÈNES 4 ET 5 (page 91 à 96)

RÉSUMÉ

Dans la scène 4, Juliette attend avec impatience les nouvelles que la Nourrice doit lui apporter. La Nourrice, tout essoufflée et endolorie, demande à Juliette de patienter un instant. La jeune fille est folle d'impatience. La Nourrice finit par lui annoncer que Roméo l'attendra chez Frère Laurent pour qu'il célèbre leur mariage.

Dans la scène 5, Roméo et Frère Laurent attendent Juliette. Roméo est euphorique et le Frère lui recommande d'aimer avec mesure. Lorsque Juliette arrive, Roméo lui demande de décrire l'amour qu'elle ressent pour lui. Juliette explique qu'elle ne le peut car les mots ne sont pas assez forts pour dire la force et l'étendue de son amour. Frère Laurent leur demande de le suivre afin de procéder rapidement au mariage.

REPÈRES POUR LA LECTURE

La modération de Frère Laurent

Dans la scène 5, le comportement du Frère est en totale opposition avec celui de Roméo. En effet, il réagit de manière posée et tente d'expliquer au jeune homme qu'il doit se montrer plus modéré dans ses propos et dans ses actes. Il critique l'impulsivité et la passion car elles peuvent mener un homme à sa perte (v. 9-14). Cependant, Frère Laurent réfléchit peu aux conséquences du mariage secret qu'il est sur le point de célébrer. Alors qu'il dénonce le tempérament impulsif de Roméo, il agit lui aussi de manière irréfléchie et précipitée.

La passion et l'euphorie des amants

Les scènes 4 et 5 laissent transparaître la passion et l'euphorie de Juliette (scène 4) puis celles de Roméo (scène 5). Elles sont à mettre en parallèle car chacun des protagonistes y est représenté en compagnie de son conseiller: Juliette et la Nourrice (scène 4), Roméo et Frère Laurent (scène 5). L'impatience de Juliette, dans la scène 4, reflète l'enthousiasme et la joie qu'elle éprouve à recevoir des nouvelles de son amant. Dans la scène 5, Roméo baigne également dans l'euphorie la plus complète puisqu'il dit que tous les chagrins ne peuvent égaler le bonheur d'un instant passé avec Juliette. À la fin de l'acte II, ce que Shakespeare souligne, c'est que la jeunesse et la fougue d'un tel amour ne peuvent être scellées que par l'union des deux jeunes gens. L'acte se termine sur une note gaie, caractéristique du dénouement des comédies de l'époque.

ACTE III

RÉSUMÉ

Lundi après-midi. Mercutio et Benvolio déambulent dans les rues de Vérone. Benvolio est d'avis qu'ils rentrent car ils risquent de croiser des Capulet mais Mercutio n'est pas d'accord. Ils rencontrent Tybalt qui cherche Roméo. Celui-ci arrive. Tybalt l'accuse de lâcheté car il refuse de se battre. Mercutio prend la défense de son ami et provoque Tybalt en duel. Au moment où Roméo s'interpose, Mercutio est mortellement blessé. Roméo dégaine alors son épée, se bat avec Tybalt et le tue. Benvolio conseille à son ami de fuir car, s'il est pris, le prince le fera mettre à mort. Mais le prince se contente de bannir Roméo de la ville puisque Tybalt, avant de mourir, a tué Mercutio.

REPÈRES POUR LA LECTURE

Une scène «pivot»

C'est dans la scène 1 de l'acte III que l'action passe de la comédie à la tragédie. En effet, l'acte II s'achève par un mariage comme dans la comédie mais ce mariage survient trop tôt dans l'intrigue. De même que l'acte III débute dans la violence avec un double meurtre, de même un nouveau type de pièce commence avec l'entrée en scène de la tragédie. Cette scène est une scène « pivot »: la chance des amants tourne et leur existence va s'en trouver bouleversée. Le retournement de situation leur est défavorable car il entraîne l'exil de Roméo, et donc la séparation du couple. À partir de cette scène, Roméo et Juliette ne sont plus maîtres de leur destin.

L'ironie du sort

La scène est tristement ironique puisque c'est Roméo qui, en tuant Tybalt, provoque sa propre perte et celle de Juliette. En voulant empêcher Mercutio et Tybalt de se battre, il permet à ce dernier de blesser mortellement son ami. Le sens de l'honneur et la loyauté de Roméo ne lui laissent pas le choix: il doit venger la mort de Mercutio. Roméo est tiraillé entre son amour pour Juliette et sa haine pour Tybalt. Sa haine étant plus forte à ce moment de l'action, il tue le cousin de sa femme, ce qui va conduire le couple à sa perte.

RÉSUMÉ

Lundi après-midi, après le duel. Juliette attend impatiemment la tombée de la nuit quand la Nourrice arrive avec une mauvaise nouvelle. Juliette croit tout d'abord que c'est Roméo qui est mort. Sa douleur s'atténue lorsqu'elle apprend qu'il est sain et sauf mais le bannissement de son amant lui semble presque pire que sa mort. Roméo est caché chez Frère Laurent. Juliette demande à la Nourrice de lui apporter son anneau en gage de son amour et de le supplier de venir la rejoindre pour un dernier adieu.

REPÈRES POUR LA LECTURE

L'ironie tragique

L'ironie tragique est présente dans cette scène car les spectateurs savent avant Juliette que la nouvelle apportée par la Nourrice concerne la mort de Tybalt et non pas celle de Roméo. Juliette, toujours dans la joie de son mariage, est impatiente de revoir Roméo à la nuit tombée. À la façon d'une enfant, elle presse la Nourrice de lui apprendre la nouvelle. Or, le public sait que l'embarras de la Nourrice vient du fait que la nouvelle est mauvaise et qu'elle va transformer le bonheur de Juliette en malheur. Cette situation ironique rend la scène plus tragique et poignante.

Un simulacre de vie

Après l'annonce de la terrible nouvelle, la première réaction de Juliette est de condamner l'acte de Roméo mais, très vite, elle réalise que son mari est encore vivant et qu'elle doit assumer son nouveau rôle d'épouse en affrontant avec courage le bannissement dont il est frappé. Elle compare leur nuit de noces à une nuit d'adieu car ce bannissement est pour elle presque plus difficile à supporter que la mort. En effet, nous le savons, le couple préfère mourir à être séparé (II, 1, v. 120-121). Le bannissement ressemble à la mort et les transforme en morts vivants. Ironie du sort, l'impression d'être un mort vivant, Roméo l'avait déjà éprouvée lorsqu'il aimait Rosaline (I, 1, v. 220).

ACTE III, SCÈNE 3 (page 114 à 122)

RÉSUMÉ

Plus tard dans la soirée du lundi. Roméo, caché dans la cellule de Frère Laurent, lui fait part du tragique de sa situation. Inconsolable, il est ravagé par la douleur. Les nouvelles que la Nourrice lui apporte de Juliette le rendent plus malheureux encore, et il tente, sans succès, de mettre fin à ses jours. Frère Laurent lui démontre alors que sa situation pourrait être pire et lui conseille de se rendre auprès de Juliette puis de quitter Vérone au lever du jour. Il restera à Mantoue en attendant qu'on lui permette de revenir à Vérone. Roméo accepte.

REPÈRES POUR LA LECTURE

La réaction de Roméo

Cette scène fait écho à la précédente car, cette fois-ci, c'est la réaction de Roméo aux nouvelles de la Nourrice qui nous est donnée à voir. Dans les deux scènes, la Nourrice joue le rôle de la messagère. Roméo réagit de manière excessive en jouant la scène du suicide qui mettrait fin à ses souffrances. Le comportement outrancier de Roméo, comme celui de Juliette dans la scène précédente, est caractéristique de son jeune âge.

La philosophie de Frère Laurent

Shakespeare, dans cette scène, souligne le contraste entre la réaction de Roméo et celle de Frère Laurent, opposition due à leur différence d'âge. Le Frère réagit calmement et avec philosophie à la sentence du prince car sa vie de travail et de méditation lui permet d'envisager la situation avec recul. En des mots bien pesés, il conseille à Roméo d'être patient. Homme d'Église, il ne peut que désapprouver sa tentative de suicide et lui fait la morale en lui expliquant qu'il aurait pu être condamné à mort. Cependant, ni Frère Laurent ni la Nourrice ne parviennent à convaincre Roméo. Seul l'anneau de Juliette, gage de son amour, parviendra à l'apaiser.

ACTE III, SCÈNE 4 (page 122 à 123)

RÉSUMÉ

Dans la nuit du lundi au mardi. Le couple est réuni pour une nuit de noces et d'adieux tandis que Pâris s'entretient avec Capulet de son mariage avec Juliette. Le père de Juliette est persuadé que ce mariage arrangé atténuera la douleur de la perte de Tybalt. Sans consulter sa fille, il assure Pâris que Juliette se montrera obéissante et il fixe le jour de leur mariage au jeudi. Lady Capulet est chargée d'annoncer la nouvelle à sa fille.

REPÈRES POUR LA LECTURE

L'ironie dramatique et tragique

Capulet ne doute pas une seconde de l'obéissance de Juliette : pour lui, sa fille n'a pas changé, elle est la même qu'à l'acte I, scène 3, une enfant soumise. Le fait qu'il ait tort et que les spectateurs le sachent souligne l'ironie dramatique de la situation. Les spectateurs en savent davantage sur Juliette que ses propres parents : Juliette a épousé Roméo et ils ont passé leur nuit de noces sous le toit des Capulet. L'ironie dramatique se teinte d'ironie tragique car la décision de Capulet constitue une menace pour le couple ignorant de ce qui se trame à son insu. Le destin des jeunes gens se joue alors qu'ils sont réunis dans la chambre de Juliette. Les spectateurs sont donc dans une position privilégiée parce qu'ils en savent plus que les personnages.

Un mariage précipité?

Capulet précipite le mariage entre Pâris et Juliette, et, ce faisant, accélère le destin de Roméo et Juliette. Alors qu'à l'acte I il trouvait sa fille trop jeune pour le mariage, la mort de Tybalt le pousse à prendre une décision hâtive. Et, la prenant sans consulter sa fille, il agit en père tout-puissant. Ce mariage arrangé contraste fortement avec le mariage d'amour qui est sur le point d'être consommé à son insu et sous son toit même.

ACTE III, SCÈNE 5 (page 124 à 135)

RÉSUMÉ

Mardi matin à l'aube. Après leur nuit de noces, Roméo et Juliette sont sur le point de se dire adieu. La Nourrice prévient Juliette de l'arrivée de sa mère et Roméo s'enfuit. Lady Capulet annonce à sa fille que dans deux jours elle deviendra l'épouse de Pâris. Ce mariage arrangé a été décidé afin d'atténuer son chagrin. Lorsque son père entre, Juliette lui annonce qu'elle refuse d'épouser Pâris. Furieux, Capulet insulte sa fille et jure que si elle lui désobéit, il ne la reverra plus. Face à cette nouvelle difficulté, Juliette va demander conseil au Frère Laurent.

REPÈRES POUR LA LECTURE

Un sombre présage

Au moment des adieux, Juliette affirme que ce n'est pas l'alouette qui a chanté mais le rossignol. L'alouette annonce le lever du jour. Son chant signifie donc que Roméo doit partir; c'est pourquoi Juliette ne peut se résoudre à l'avoir entendue. Pour les amants, le chant de l'alouette est de mauvais augure: il annonce la fin de la nuit et la fin de leur nuit de noces, c'est-à-dire leur séparation. Paradoxalement, les images du lever du jour ne sont pas synonymes d'espoir mais de malheur. Juliette devine que l'aube de ce jour n'est pas lumineuse mais sombre, elle a le pressentiment qu'ils ne se reverront que dans les ténèbres de leur tombeau (vers 55-57).

La colère de Capulet

Aux adieux déchirants des amants fait suite la colère noire de Capulet. Si les deux parents dénoncent la désobéissance de Juliette, c'est son père qui se montre le plus violent dans ses propos et ses attaques. La colère de Capulet est à la hauteur de sa surprise : il ne s'attendait pas à un refus de la part de sa fille, elle qui jusqu'à présent avait toujours été soumise.

Les parents de Juliette sont surpris par cette réaction mais les spectateurs, eux, savent que Juliette est devenue une femme et qu'elle est déjà mariée à un autre homme. Capulet, qui ignore tout du mariage secret de sa fille, ne peut pas comprendre le refus qu'elle lui oppose.

Cependant, la colère de Capulet fait écho à celle qu'il avait déjà manifestée contre Tybalt (acte II, scène 5). Son emportement est excessif : il rudoie sa fille, l'insulte avec la dernière violence, menace de la jeter à la porte et de la renier. S'il mettait sa menace à exécution, Juliette et Roméo seraient chacun banni : la première de chez elle, le second de Vérone.

ACTE IV

ACTE IV, SCÈNE 1 (page 137 à 143)

RÉSUMÉ

Mardi matin. Pâris rend visite au Frère Laurent afin de lui faire part de son prochain mariage avec Juliette. Jeudi, c'est très court, lui répond Frère Laurent. Pâris lui explique que Capulet précipite leur union pour tenter d'apaiser la douleur que provoque chez Juliette la mort de son cousin Tybalt. Juliette arrive et garde son calme devant Pâris. Après le départ du comte, elle s'effondre ; pour elle, il n'y a pas d'autre issue que la mort. Alors le Frère a une idée : il va lui concocter une potion qui, une fois avalée, la plongera dans un sommeil de mort et lui donnera l'aspect d'un cadavre pendant quarante-deux heures. Et elle sera inhumée dans le caveau familial. Entre-temps, le Frère aura mis Roméo au courant de leur plan. Son mari sera là à son réveil et l'emmènera loin de Vérone, à Mantoue. Juliette accepte.

REPÈRES POUR LA LECTURE

Un conflit intérieur

Dans cette scène pivot qui la place entre Roméo et Pâris, Juliette fait l'expérience d'un conflit intérieur. Elle est passée du statut d'enfant à celui de femme mariée. Elle doit agir seule et prendre une décision grave en l'absence de Roméo. Au début de la scène, elle se montre capable de garder le contrôle d'elle-même malgré son étonnement de trouver Pâris dans la cellule du Frère. (C'est d'ailleurs le seul moment de la pièce où Juliette et Pâris sont réunis.) Aux questions du comte sur les motifs de sa venue chez Frère Laurent, Juliette ne répond pas directement et ce qu'elle lui dit peut recevoir une double interprétation : ainsi, Pâris se retire en pensant qu'elle est venue se confesser avant leur mariage. Néanmoins, dès qu'il est parti, Juliette laisse libre cours à son désespoir : que faire ? quelle solution trouver ? Elle ne peut ni se marier légalement ou moralement à Pâris ni révéler à ses parents qu'elle a épousé secrètement Roméo. Pour avoir désobéi à ses parents et n'avoir pas écouté le conseil de la Nourrice (épouser Pâris), Juliette se retrouve dans une impasse, d'où son agitation intérieure et le fait qu'elle soit tiraillée entre la vie et la mort. Finalement, elle accepte le stratagème du Frère Laurent qui lui permet et de feindre d'accepter le mariage avec Pâris et de feindre la mort d'où elle se réveillera pour retrouver Roméo.

Une description gothique de la mort

Du vers 90 au vers 121, Frère Laurent expose son plan à Juliette et se livre à un relevé précis des effets physiques provoqués par sa potion. Cette description détaillée des marques qui vont donner au corps de Juliette l'apparence de la mort peut être qualifiée de gothique[1] : arrêt du pouls et de la respiration, corps glacé, lèvres grises, yeux clos, membres raides. Durant ce long exposé, le spectateur se remémore la scène 2 de l'acte II où Frère Laurent cueillait des plantes et en expliquait la double vertu (curative et vénéneuse). Cette explication, anodine dans le contexte de l'acte II, prend tout son sens dans la scène 1 de l'acte IV. Les effets de la potion que Juliette va boire sont complexes : l'élixir lui donnera l'apparence de la mort tout en lui rendant la vie et l'amour après quarante-deux heures. Le stratagème du Frère referme le piège de la fatalité sur les protagonistes. À partir de la scène 1 de l'acte IV, tous les ressorts de la tragédie sont activés et rien ne pourra plus ralentir son déclenchement.

ACTE IV, SCÈNE 2 (page 143 à 146)

RÉSUMÉ

Mardi en fin de soirée. Dans la maison des Capulet, les parents de Juliette, la Nourrice et les valets sont en pleins préparatifs de mariage. Juliette, de retour de la cellule de Frère Laurent, implore le pardon de son père et promet de lui obéir en tout. Capulet en est si content qu'il avance le mariage d'un jour : Juliette et Pâris iront à l'église le lendemain. Lady Capulet proteste car ils n'auront

---

1. *Gothique* : courant littéraire qui apparaît dans le roman au XVIIIᵉ siècle (1764-1830). Il est associé à la redécouverte de l'architecture médiévale et de thèmes anciens datant des romans grecs. Les personnages gothiques sont souvent stéréotypés : jeune fille persécutée et isolée, jeune homme tiraillé entre raison et passion, en proie aux rêves et aux prémonitions ou à l'introspection, et sensations fortes. Font également partie des thèmes récurrents du gothique des parents oppresseurs, des épreuves à surmonter afin d'atteindre l'être aimé. Ruines, pierres tombales, ossements et goût pour la mort caractérisent l'esthétique gothique.

pas le temps de tout préparer. Capulet décide de ne pas se cou-
cher et de mettre la main à la pâte afin que tout soit prêt au matin.
Il se charge également de faire prévenir Pâris.

REPÈRES POUR LA LECTURE

La duplicité de Juliette

Voulant tromper son père, Juliette joue double jeu. Elle feint
d'accepter son mariage avec Pâris et ment à Capulet avec une
facilité désarmante. Car, pour Juliette, désormais tout est simple :
son aisance à feindre et à mentir dans cette scène 2 est la même
que celle dont elle a fait preuve dans la scène 1 en tenant à Pâris
un double discours. Néanmoins, il est important de noter que
cette fausse joie ne peut que précipiter les événements. En effet,
Juliette semble si heureuse que Capulet décide d'avancer le
mariage d'une journée. Par conséquent, Juliette va devoir prendre
la potion un jour plus tôt. En choisissant de mentir à son père,
Juliette accélère sa perte.

Une promesse de bonheur

Cette scène est en totale opposition avec la précédente. Le
désespoir, la mort étaient les motifs principaux de la scène 1 alors
que la scène 2 résonne de la joie des préparatifs de mariage. L'or-
ganisation de la fête du lendemain donne lieu à une scène domestique emplie d'excitation et d'espoir. Pour Capulet, l'union entre
Pâris et Juliette est également synonyme d'un nouveau départ
après la mort tragique de Tybalt. Dans la maison des Capulet, la
joie et le bonheur vont remplacer la tristesse et la douleur.

ACTE IV, SCÈNE 3 (page 146 à 148)

RÉSUMÉ

Mardi soir. Juliette est dans sa chambre avec la Nourrice qui
l'aide à choisir sa robe de mariage. Puis la jeune fille demande

qu'on la laisse seule, comme le Frère le lui avait recommandé, afin de se recueillir. Comme le mariage a été avancé d'une journée, Juliette boit le philtre préparé par Frère Laurent plus tôt que prévu.

Les doutes de Juliette

Dans un long monologue empli de visions cauchemardesques qui relèvent de l'imagerie gothique (corps glacé, asphyxie, puanteur, putréfaction, ossements, spectres…), Juliette laisse libre cours à ses craintes et à ses doutes avant d'avaler la potion. Elle s'exprime de manière extravagante et, au moment de boire, elle est dans un état proche de l'hystérie. En réalité, elle a peur que le breuvage fasse plus que lui donner l'apparence d'un cadavre et qu'il la fasse mourir. Les images qui envahissent son imagination l'effraient tant qu'elle est sur le point d'appeler la Nourrice.

Le courage de Juliette

Après le doute, le courage et la force reviennent : Juliette boit la potion. Dans les dernières lignes du monologue de la jeune fille (vers 54-57), l'image de Roméo poursuivi par le spectre de Tybalt la replace face à sa responsabilité d'épouse : c'est la force de son amour pour le proscrit qui la pousse à avaler l'élixir. Acte courageux qui, elle l'espère, va changer le cours de son destin.

ACTE IV, SCÈNE 4 (page 149 à 151)

Dans la nuit du mardi au mercredi. Capulet est resté debout toute la nuit pour participer et mettre la dernière main aux préparatifs du mariage. Pâtés, fruits, broches, bûches…, le maître de maison, tout à sa joie, plaisante de bon cœur avec ses serviteurs tout en leur donnant des ordres et en les pressant.

Une scène au ralenti

Par rapport aux scènes précédentes à l'action rapide et précipitée, dans la scène 4 de l'acte IV, le temps ralentit son cours.
Shakespeare se plaît à décrire la bonne humeur dans laquelle se
déroulent les préparatifs de la fête. Ceux-ci occupent toute la nuit
du mardi au mercredi, durant laquelle interviennent deux autres
actions: la prise de la potion par Juliette et l'arrivée de Pâris et de
ses musiciens. Cette scène fonctionne comme une pause entre le
rythme soutenu des tableaux précédents et l'irruption imminente
de la tragédie.

Le retour de la comédie

Le rythme enlevé de cette scène des préparatifs, que ponctuent
les plaisanteries de Capulet, permet le bref retour de la comédie,
que l'on pensait achevée à la fin de l'acte II, puisque l'acte III signe
le début de la tragédie. Ce retour de la comédie contraste fortement avec la tonalité sombre et tragique de la scène précédente.

Ce jeu de contrastes n'est pas anodin: il souligne le fait qu'au
moment même où toute la maison est heureuse se déroule un
drame. En effet, pendant que la vie s'accélère chez les Capulet, le
pouls de Juliette ralentit et son corps se refroidit. Ironie tragique ici
encore puisque – le spectateur en est conscient – cette tonalité
comique et enjouée ne peut qu'être de courte durée.

ACTE IV, SCÈNE 5 (page 151 à 159)

RÉSUMÉ

Mercredi matin. La Nourrice vient réveiller Juliette et découvre
un corps sans vie. Elle appelle à l'aide. Les parents de Juliette,
Pâris et Frère Laurent arrivent dans la chambre et se rendent à
l'évidence: en apparence, Juliette est morte. Tous, fous de douleur, pleurent et se lamentent. C'est alors que Frère Laurent leur

demande de faire silence : la dépouille de Juliette doit être parée et transportée dans le caveau familial, conformément aux plans du religieux. Capulet, quant à lui, ordonne que l'on transforme les préparatifs de mariage en préparatifs de funérailles.

Des apparences trompeuses

La dernière scène de l'acte IV est faussement dramatique tout comme l'est la mort de Juliette, qui est feinte. Elle vise à empêcher le public de partager le chagrin des proches de la jeune fille. Car le public, qui sait que Juliette est une « morte vive », ne peut éprouver aucune tristesse. Toute la scène est construite sur des faux-semblants. Les lamentations exagérées des proches, le discours convenu du Frère ainsi que l'intermède comique entre Pierre et les musiciens tendent à montrer que la véritable douleur est à venir.

La mariée était en noir

Après l'excitation et la bonne humeur de la scène 4, Capulet, freiné net dans son élan, assiste impuissant à un tragique retournement de situation : le bonheur vire au malheur, le repas de noces se transforme en repas de deuil. Dans un premier temps, ce retournement de situation laisse le père de Juliette sans voix. Dans un second temps, il lui suggère des propos très poétiques sur la mort qui endosse plusieurs rôles : en emportant sa fille, elle joue le rôle de mari de Juliette ; elle joue également le rôle de gendre et d'héritière de Capulet.

ACTE V

RÉSUMÉ

Roméo, qui est à Mantoue, vient de faire un rêve prémonitoire. Entre Balthazar, son valet, qui arrive de Vérone pour lui annoncer que le corps de Juliette repose dans le sépulcre des Capulet. Le jeune homme, qui reste maître de sa douleur, décide instantanément de retourner à Vérone. Il demande à son valet d'aller louer des chevaux. Lui se rend chez un apothicaire à qui il demande de lui vendre du poison. Tout d'abord, l'apothicaire refuse car, à Mantoue, la loi punit de mort ceux qui vendent de telles drogues. Cependant, l'apothicaire est pauvre et Roméo lui offre quarante ducats en échange du poison. Finalement, il accepte de vendre le poison au mari de Juliette.

REPÈRES POUR LA LECTURE

Un rêve prémonitoire?

Le recours aux rêves et à leurs prémonitions permet d'intensifier le poids du destin et de la fatalité. Or, la nuit dernière, Roméo a fait un rêve qu'il interprète mal. Il a rêvé que Juliette le trouvait mort mais qu'elle le ramenait à la vie avec ses baisers. Il n'éprouve donc aucune inquiétude. Tout au contraire, il s'en réjouit puisque le sommeil lui a permis d'apercevoir sa femme. Au lieu de donner à Roméo un mauvais pressentiment, ce rêve lui paraît être de bon augure. C'est lorsque Balthazar lui annonce la mort de Juliette que le rêve prend tout son sens. En interprétant mal ce rêve, Roméo est tombé dans le piège du mensonge à soi-même que dénonçait Mercutio dans la scène 4 de l'acte I (vers 99 à 101), lorsqu'il affirmait que les rêves « ne viennent d'autre chose que de la fantaisie/Dont la substance est [...] plus inconstante que le vent qui courtise ». De plus, le bonheur dans lequel ce rêve macabre plonge Roméo semble incongru. Survenant juste après la mort de Juliette et les lamentations de ses proches, la joie et l'entrain de Roméo créent un effet des plus dramatiques.

Le défi aux étoiles

La perception de la fatalité par le public et par Roméo est différente : le spectateur sait que le destin du couple est scellé, alors que Roméo pense que la fatalité, à nouveau, essaie de les séparer. Lorsque Roméo lance un défi aux étoiles, c'est en réalité le destin qu'il brave. Une fois encore, les astres jouent un rôle important dans la vie des protagonistes : plus tôt dans la pièce, Roméo a déjà eu le sentiment que son destin dépendait des étoiles (acte I, scène 4), puis il a comparé les yeux de Juliette à des étoiles (acte II, scène 1) et lors de leur nuit de noces, il a comparé les étoiles aux bougies de la nuit (acte III, scène 5). On peut noter que les deux jeunes gens interprètent mal le rôle des astres dans leur vie : en effet, au lieu d'illuminer leur amour, comme ils le croient, chacune de leurs apparitions annonce la fatalité qui pèse sur eux. Lorsqu'on sait que les Élisabéthains croyaient que leur destin était contrôlé par les astres, on comprend qu'en défiant les étoiles, Roméo tente l'impossible. La fatalité est trop puissante pour être bravée et lorsque Roméo décide de se suicider pour rejoindre Juliette – qu'il croit morte –, il devient l'agent même du destin funeste de la jeune fille dont, à son insu, il précipite la fin tragique.

L'apothicaire, incarnation de la pression sociale

À travers le personnage de l'apothicaire, Shakespeare nous donne un exemple de la pression de la société véronaise dans laquelle vivent Roméo et Juliette et face à laquelle ils sont totalement impuissants. En effet, l'apothicaire ne souhaite pas vendre de poison à Roméo car la loi, expression de la société, ne le permet pas. Pourtant, c'est bien elle, la société, qui a fait de lui un pauvre diable : on peut constater son dénuement à travers la description morbide et macabre de sa boutique et de son apparence (haillons, maigreur extrême…) qui fait de lui un être aux portes de la mort. Ainsi, tout comme Roméo, l'apothicaire, poussé par des forces extérieures auxquelles il est incapable de résister, va céder et accepter de vendre le poison interdit en échange de quarante ducats.

ACTE V, SCÈNE 2 (page 165 à 166)

RÉSUMÉ

Mercredi. Frère Jean, envoyé à Mantoue par Frère Laurent pour apporter à Roméo la lettre expliquant que Juliette n'est pas réellement morte, revient avec une mauvaise nouvelle. Mis en quarantaine dans une maison de Vérone où l'on suspectait la présence de la peste, il n'a pas pu se rendre à Mantoue pour remettre la missive à Roméo. Frère Laurent craint le pire car il sait que Roméo n'est pas au courant des événements qui se sont déroulés à Vérone. Il décide de se rendre sans tarder au tombeau des Capulet afin d'attendre le réveil de Juliette.

REPÈRES POUR LA LECTURE

Un contretemps désastreux

Le plan de Frère Laurent tourne mal et vire à la tragédie en raison du hasard et de la malchance. Cette scène montre que le destin des amants dépendait du hasard et non pas des étoiles. Une série d'événements provoqués par le hasard ont conduit Roméo et Juliette à leur mort tragique : le caractère impétueux de Roméo, la hâte de Juliette et de Capulet, le retour trop rapide de Roméo à Vérone, puis la quarantaine du Frère Jean due à la peste qui l'a empêché de remettre la lettre à Roméo. Frère Laurent résume bien la situation en disant : « Quelle malchance ! » (vers 17).

Secret et mensonges

Le plan de Frère Laurent partait d'une bonne intention : en célébrant les noces de Roméo et Juliette, il avait pour objectif de réconcilier les familles ennemies. Cependant, il n'a pas prévu toutes les conséquences de ce mariage secret et se retrouve piégé dans les mailles d'un filet de mensonges qu'il a lui-même tissé. Désormais, Frère Laurent est perdu, lui qui jusqu'alors s'était révélé un bon conseiller et avait mis sur pied un plan intelligent. Dépassé par sa dissimulation, il se rend compte que, dorénavant, il est le seul qui puisse empêcher que le pire n'arrive.

ACTE V, SCÈNE 3 (page 167 à 181)

RÉSUMÉ

Dans la nuit de mercredi à jeudi. Pâris et son valet arrivent au caveau des Capulet. Le comte commence à déposer des fleurs sur le tombeau de Juliette lorsque son valet le prévient que quelqu'un approche. Il s'agit de Roméo et de Balthazar qui arrivent de Mantoue. Roméo se propose d'avaler le poison auprès du corps de sa bien-aimée. Pâris qui pense que le proscrit vient mutiler les corps de Tybalt et Juliette, ses ennemis, lui barre la route. Roméo et Pâris se battent et Pâris tombe à terre, mort. C'est alors que Roméo le reconnaît. Après cet épisode violent, Roméo dépose le corps de Pâris dans le caveau et médite sur la beauté de sa bien-aimée tout en se préparant à la mort. À peine a-t-il avalé le poison que Frère Laurent arrive et trouve les corps inertes de Pâris et de Roméo. À ce moment précis, Juliette se réveille. Frère Laurent lui conseille de quitter le caveau mais, lorsqu'elle réalise que son mari est mort, elle refuse de partir, se poignarde et tombe sur le corps de Roméo. Le valet de Pâris ayant alerté le garde, les Capulet, Montaigu et le prince arrivent sur les lieux. Tous cherchent le fin mot de l'énigme : comment ces trois morts sont-elles survenues ? Frère Laurent fait le récit des tristes événements qui viennent de se dérouler, et ses dires sont confirmés par la lettre de Roméo. C'est ainsi qu'au matin les Montaigu et les Capulet se réconcilient dans une paix douloureuse.

Le sacrifice des amants

Pour être réunis, Roméo et Juliette sont prêts à tout sacrifier, jusqu'à leur vie. Ils n'ont pas d'autre choix que la mort car, en reposant l'un à côté de l'autre à jamais, ils seront à nouveau mari et femme : « Ici, je veux rester toujours avec toi » (vers 106). On peut noter que le sacrifice de leur vie n'est pas dénué de connotation sexuelle : leurs corps seront à nouveau réunis. Avant de se suicider, Roméo évoque en effet une « dernière étreinte, [un] baiser » (vers 113-114), alors que Juliette se transperce d'un coup de poignard qui renvoie à une image phallique (vers 168-169). De manière symbolique, le suicide des deux amants représente donc une nouvelle consommation de leur mariage. Ce double suicide n'est pas une surprise pour le spectateur : en effet, à quelle autre issue leur amour impossible et le caractère autodestructeur de leur passion pouvaient-ils conduire ? Leur passion a pour conséquence une mort violente, laquelle est à la fois une preuve d'amour réciproque et le signe qu'ils se sont détachés de la pression familiale. Ainsi, le fait qu'ils soient obligés de sacrifier leur vie pour préserver leur amour rend leur histoire tragique et leur amour immortel.

Un nouveau monde

Les forces de la sphère publique (société véronaise) et de la sphère privée (famille et amis) ont poussé Roméo et Juliette dans leurs derniers retranchements – jusqu'à les contraindre au suicide. En effet, Juliette, réduite à l'impuissance de par son statut de femme, ne peut aimer celui qu'elle a choisi. La sphère publique ne lui laisse pas d'autre choix que la mort, par laquelle elle retrouve son autonomie. Les jeunes amants ne peuvent avouer leur amour à la société mais ils le font exister à travers la poésie et le romantisme et l'immortalisent à travers la mort. L'ironie veut que les forces sociales et familiales, elles, aient été incapables d'empêcher cette fin tragique, même si le prince Escalus reconnaît la valeur et l'honneur de Roméo et de Juliette. Pour le prince (représentant de l'ordre), la mort des trois jeunes gens (Roméo, Juliette et Pâris) est un châtiment qui s'abat sur la société véronaise tout entière. Mais leur sacrifice n'aura pas été vain: la mort du couple met fin aux autres passions, celles de la haine et de la discorde entre les Montaigu et les Capulet. C'est l'amour qui a gagné. Au bout du compte, la passion de Roméo et Juliette donne naissance à un nouveau monde et Vérone n'oubliera jamais leur histoire.

Problématiques essentielles

1 | Contexte historique et littéraire

SHAKESPEARE ET L'ÉPOQUE ÉLISABÉTHAINE

La première partie de la carrière de Shakespeare (1564-1616) se déroule sous le règne long et glorieux de la reine Élisabeth Ire (1558-1603), d'où le qualificatif d'«élisabéthaine» donné à cette époque qui est l'une des plus brillantes de l'histoire d'Angleterre. Appartenant à la dynastie des Tudors, la souveraine réussit à rétablir l'ordre dans son pays déchiré par les conflits entre catholiques et protestants. Au plan international, elle assoit la suprématie maritime britannique par la destruction, en 1588, de l'Invincible Armada, la flotte du roi Philippe II d'Espagne. La dynastie des Tudors s'achève à la mort d'Élisabeth Ire et c'est Jacques Ier (1603-1625), de la dynastie des Stuarts, qui lui succède.

Qu'est-ce que la période élisabéthaine ?

Shakespeare arrive à Londres au début de « l'âge d'or » de la période élisabéthaine. Cette dernière expression ne désigne pas seulement la période pendant laquelle Élisabeth Ire a régné. Plus largement, le terme « élisabéthain » est utilisé pour qualifier la période qui s'étend jusqu'à la fin du règne de Jacques Ier (1625) et durant laquelle vont éclore de grandes œuvres littéraires, les années du règne de Jacques Ier étant plus spécifiquement appelées période « jacobéenne ».

Un renouveau littéraire

La période élisabéthaine marque un renouveau dans les courants intellectuels et artistiques. Ce renouveau débute en Italie au

XIVe siècle avec Pétrarque, d'où il s'étend vers le nord de l'Europe pour atteindre l'Angleterre au XVIe siècle avec Edmund Spenser et ses poèmes pastoraux (1579). Le suivent Sir Thomas Wyatt et Sir Thomas More. Le courant littéraire élisabéthain se distingue des précédents au sens où l'esprit de curiosité remet en cause de nombreuses croyances et idées reçues héritées du Moyen Âge. Originalité et non-conformisme caractérisent ce courant, nourri, d'une part, par un contexte historique riche (découverte de l'Amérique, remise en cause de la cosmologie par Copernic et Galilée) et, d'autre part, par les thèses politiques de Machiavel ou la réforme de l'Église anglaise. La littérature suit le mouvement de ce monde qui bouge en redécouvrant et en adaptant des textes grecs et romains. Durant la période élisabéthaine, rien ne paraît impossible, tout peut être remis en cause.

Shakespeare, un dramaturge élisabéthain

Shakespeare est considéré comme un dramaturge élisabéthain, non seulement parce qu'il est contemporain de cette période, mais aussi parce que ses pièces sont modernes et innovantes. Son théâtre remet en cause les croyances, les traditions politiques sur lesquelles était fondée la société élisabéthaine. En dépit d'un retour à l'ordre civil à la fin de chaque pièce (comme dans *Roméo et Juliette*, V, 3), une certaine subversion, qui ébranle les valeurs traditionnelles de l'époque, est présente dans ses pièces. En effet, même si la censure imposait à Shakespeare une conclusion sage, le dramaturge trouve toujours le moyen de faire passer dans l'intrigue des idées nouvelles en remettant en cause l'ordre établi. Par exemple, nombreuses sont les pièces où les figures de l'autorité sont opposées à des figures parodiques : Caliban face à Prospéro dans *La Tempête* ou Falstaff face à Henry IV dans la pièce du même nom. Ces personnages comiques étaient une façon de se moquer de l'ordre établi. Les sujets dont Shakespeare aime parler dans ses pièces historiques reflètent l'identité de son pays. La politique et l'exercice du pouvoir le préoccupent tout comme elles préoccupent son public. À travers son théâtre, il porte un regard critique sur la cour et les complots qui s'y trament en raison du culte de la personne royale et de sa toute-puissance développé par Élisabeth Iʳᵉ.

Autre sujet d'actualité à l'époque : la religion. En effet, le pape lui ayant refusé le divorce, le roi Henry VIII (1509-1547), père d'Élisabeth, fait sécession avec l'Église de Rome. En 1534, l'anglicanisme[1] devient la religion officielle de l'Angleterre et Henry VIII chef de l'Église anglicane. Malgré ce bouleversement majeur dans la société de son temps, la religion n'est pas le sujet de prédilection de Shakespeare. Il est difficile de trouver des références directes à la religion dans son œuvre, même si, en toile de fond, le contexte religieux n'en est pas absent. Ainsi, Juliette est destinée au mariage et non pas au couvent comme l'aurait voulu la religion catholique ; les franciscains Frère Laurent et Frère Jean essuient quelques critiques car la faillite de leur plan entraîne la mort des protagonistes. En revanche, l'introspection à laquelle le conflit intérieur qui l'agite conduit Juliette dans la scène 3 de l'acte IV (v. 14-57), participe d'une démarche protestante.

SHAKESPEARE ET LE THÉÂTRE ÉLISABÉTHAIN

À l'époque de Shakespeare, l'héritage médiéval est toujours vivace. Or, au Moyen Âge, les compagnies de théâtre n'existaient pas. Les comédiens, mimes et jongleurs tout à la fois, étaient des artistes itinérants qui jouaient de courtes pièces sur les places des villages et dans les foires. Ils n'étaient pas mieux considérés que des vagabonds. Comment, dans un tel contexte, Shakespeare est-il devenu le dramaturge le plus recherché des scènes élisabéthaines et jacobéennes ?

---

1. Forme de protestantisme.

Un théâtre professionnel

Peu de temps avant que Shakespeare n'arrive à Londres, quelques auteurs dramatiques comme Thomas Kyd (1558-1594) et Christopher Marlowe (1564-1593) ont commencé à donner un nouveau souffle au théâtre anglais en écrivant des pièces longues, dont l'intrigue et la technique dramaturgique s'inspirent des tragédies antiques. Et, lorsque l'auteur de *Roméo et Juliette* arrive dans la capitale, il trouve des compagnies de comédiens et un théâtre en plein essor. Il entre comme acteur dans la compagnie du Chambellan qui se produisait au théâtre de James Burbage, créateur, en 1576, du premier théâtre londonien, simplement appelé « Le Théâtre » – troupe originale car les six acteurs principaux étaient actionnaires de la compagnie et percevaient une partie des bénéfices des représentations. Bientôt, d'autres théâtres sont ouverts : ceux du Cygne et de la Courtine, puis celui du Globe, le théâtre de Shakespeare, situé sur les bords de la Tamise. Après avoir été joué à la Courtine, *Roméo et Juliette* l'est au Globe.

Le Globe

Le Globe était un théâtre en bois, à structure circulaire. La partie centrale était à ciel ouvert avec, au milieu, une scène rectangulaire. Cette scène était partiellement couverte d'un toit soutenu par deux piliers à l'avant pour protéger les comédiens de la pluie. De chaque côté de la scène, une porte permettait aux acteurs d'entrer et de sortir. Entre ces deux portes, un rideau cachait ce qu'on appelait « l'espace de la découverte », espace intime qui apparaît dans certaines pièces : c'est celui dans lequel la Nourrice découvre le corps inerte de Juliette (IV, 4). La scène était surplombée d'une galerie, celle-là même que l'on trouve dans la scène 1 de l'acte II de *Roméo et Juliette* (scène du balcon).

Dans ce théâtre, que Shakespeare appelait le « Cercle de bois », le public était très varié. Au parterre, autour de la scène, se rassemblaient les spectateurs du peuple qui n'avaient payé qu'un penny. Les nobles et les gens aisés s'asseyaient dans les étages de la galerie surplombante. Durant la représentation, le public pouvait manger, boire, interpeller les comédiens, ce qui rendait leur métier assez difficile. Lorsqu'une représentation avait lieu, un drapeau orné d'un globe était hissé sur le toit du théâtre, qui portait la devise : « Le monde entier joue la comédie. »

▌Les pièces élisabéthaines

Les pièces élisabéthaines duraient deux heures et ne comportaient pas d'entracte. De plus, comme le décor restait le même d'un bout à l'autre de la pièce, les personnages étaient obligés d'indiquer les changements de lieu au public (*Roméo et Juliette*, II, 2 ; II, 3). La fin d'une scène était signalée par des rimes. Au Globe, aucun effet de mise en scène ni d'éclairage n'était possible. Ainsi, comme on ne pouvait pas les faire disparaître, les personnages morts étaient enlevés de scène par d'autres comédiens. C'est pourquoi Shakespeare acheta le Blackfriars, un théâtre couvert où davantage d'effets de mise en scène étaient possibles et où tout le public était assis. Le Globe ne fut plus utilisé que l'été, jusqu'à ce qu'un incendie le détruise en 1613.

En ce qui concerne les comédiens, ils faisaient partie de compagnies comme celle du Chambellan, qui devint la compagnie des Comédiens du Roi sous Jacques Ier. Il est à noter qu'à l'époque tous les rôles étaient joués par des hommes. Ainsi, le rôle de Juliette ou de tout autre personnage féminin était joué par un jeune garçon travesti en femme.

LES SOURCES DE *ROMÉO ET JULIETTE*

De nos jours, un auteur invente l'intrigue de son livre ou de sa pièce. Une fois publiée, l'œuvre n'appartient qu'à son auteur et se trouve protégée du plagiat. Il en va tout autrement à l'époque élisabéthaine : la méthode courante de composition était de réécrire et d'adapter l'œuvre d'un autre auteur. La réécriture innovante d'une œuvre constituait une œuvre originale.

Les sources antiques

Dans *Roméo et Juliette*, un chœur intervient au début de l'acte I puis de l'acte II, procédé qui inscrit la pièce de Shakespeare dans la perspective du théâtre antique. Il est à noter également que l'intrigue de la pièce est similaire à celle de « Pyrame et Thisbé », que jouent les personnages du *Songe d'une nuit d'été*. En effet, par un concours de circonstances malheureuses, Pyrame se donne la mort car il croit que Thisbé a été dévorée par un lion. Les deux amants ont rendez-vous mais Thisbé est en retard. Lorsqu'elle arrive, elle découvre le corps sans vie de son bien-aimé et se donne la mort à son tour. Ce récit présente des similitudes avec l'histoire racontée par Ovide (43 av. J.-C.-17 ou 18 apr. J.-C.) au livre IV des *Métamorphoses*. Shakespeare, en effet, au moment de l'écriture du *Songe d'une nuit d'été* et de *Roméo et Juliette*, subissait fortement l'influence du poète latin.

Tout comme dans la pièce de Shakespeare, Pyrame et Thisbé sont victimes de contretemps et d'une malchance qui les mènent à leur perte. Chez Shakespeare comme chez Ovide, c'est la jeune femme qui se donne la mort avec l'arme de son amant. Il existe néanmoins des différences entre les deux récits : ainsi, si les familles de Pyrame et Thisbé sont voisines et s'opposent à l'union de leurs enfants, elles ne sont pas ennemies ; Thisbé n'a pas de nourrice... Shakespeare a réécrit la trame générale de l'histoire du livre IV d'Ovide, mais de nombreux détails de l'intrigue de *Roméo et Juliette* sont tirés d'autres sources.

Les sources italiennes et anglaise

L'histoire de Roméo et Juliette, très populaire, a donné lieu à maintes réécritures. Shakespeare n'a donc fait qu'emprunter une histoire qui l'avait déjà été à plusieurs reprises. Les personnages de Roméo et Juliette apparaissent pour la première fois dans *Il Novellino*, de l'Italien Masuccio de Salerno (1476). L'intrigue est ensuite réécrite par Luigi da Porto dans *Historia novellamente ritrovata di due nobili Amanti* (1530) et par Matteo Bandello dans *Novelle* (1554). En 1562, le poète anglais Arthur Brooke, qui avait lu cette histoire en italien et en français, l'adapte dans son poème *La Tragique Histoire de Roméo et Juliette* (*The Tragicall Historye of Romeus and Juliet*). C'est dans le poème de Brooke que Shakespeare puise presque toutes les données de sa pièce, en particulier le thème de la morte vivante. Mais il en fait une relecture complète, si bien que sa tragédie semble totalement originale.

La relecture de Shakespeare

Dans le poème de Brooke, l'action s'étale sur neuf mois alors qu'elle ne dure que quelques jours chez Shakespeare. C'est une donnée qui change radicalement la structure de l'intrigue car cette courte durée met en relief la passion soudaine entre Roméo et Juliette et leur mort rapide. Le bouquet que Pâris vient déposer sur la tombe de Juliette (V, 3) est un détail ajouté par Shakespeare. Il lui permet de dramatiser la scène finale en faisant se confronter Pâris et Roméo. Le personnage de Mercutio est inventé et Shakespeare développe les personnages de la Nourrice et de Tybalt.

L'adaptation par Shakespeare du poème de Brooke confère plus de richesse à tous les personnages et dégage une émotion plus forte que celle de sa source.

2 | Une structure hybride

Roméo et Juliette, tragédie amoureuse, est divisée en cinq actes: les actes I et II se composent d'un prologue et de cinq scènes, les actes III et IV de cinq scènes et l'acte V comporte trois scènes. L'acte III est un acte « charnière » car c'est dans la scène 1 de ce même acte que la comédie, présente dans les deux premiers actes, tourne à la tragédie avec la mort de Tybalt. Ainsi, la structure de la pièce présente une double articulation puisqu'on y trouve en même temps la comédie et la tragédie.

DE LA COMÉDIE À LA TRAGÉDIE

La comédie

Pièce à structure hybride, *Roméo et Juliette* commence comme une joyeuse comédie. La première scène s'ouvre en effet sur le dialogue entre deux valets de la famille Capulet, Samson et Grégoire (I, 1, v. 1-26), qui rivalisent d'esprit et de jeux de mots. D'autres personnages comiques sont présents dans les deux premiers actes: la Nourrice de Juliette, avec ses anecdotes grivoises (I, 3, v. 32-49) ou ses impropriétés d'expression (II, 3, v. 143-44), et Mercutio, l'ami de Roméo, qui, à l'aide de plaisanteries à caractère obscène, tourne en ridicule les tourments de son ami et son amour « emprunté » pour Rosaline (I, 4, v. 89-96 ; II, 3, v. 36-92).

Cependant, d'autres ingrédients que ces personnages comiques interviennent, qui font de ces deux premiers actes une comédie. En effet, la naissance de l'histoire d'amour entre Roméo et Juliette ainsi que leur mariage secret sont des événements caractéristiques des comédies de la période élisabéthaine. Néanmoins, on peut noter que, dans ces dernières, le mariage du couple intervient à l'acte V, c'est-à-dire à la fin de la pièce. Dans *Roméo et Juliette*, contrairement à la trame traditionnelle, l'union entre les deux amants intervient très tôt dans la pièce puisqu'elle est célébrée à la fin de l'acte II. C'est pourquoi une seconde pièce débute dès la scène 1 de l'acte III, la tragédie, avec la mort de Mercutio puis de Tybalt lors de leur duel.

C'est cette présence de deux genres théâtraux, la comédie et la tragédie, qui fait de *Roméo et Juliette* une pièce à la structure hybride.

▌L'amour comme trait d'union

Le thème central de la pièce est l'amour, comme le prouve l'étiquette de « tragédie amoureuse » qui lui est généralement attribuée. L'amour entre Roméo et Juliette est la matière de la comédie (mariage) et de la tragédie car cette union secrète, et qui doit le rester, va les mener à leur perte : en effet, dans la scène 3 de l'acte V, les deux amants se suicident. Cet amour contrarié est le trait d'union entre la comédie et la tragédie car il permet de passer de l'une à l'autre.

▌La tragédie

En dépit du premier acte qui débute comme une comédie, *Roméo et Juliette* est une tragédie (la deuxième de Shakespeare, 1595-1596) et, dès l'ouverture, le spectateur sait que la pièce va se terminer dans le sang. En témoigne d'une part l'intervention d'un chœur dans le prologue qui précède l'acte I et dans celui qui ouvre l'acte II, procédé repris aux auteurs tragiques de l'Antiquité, et d'autre part la structure de la pièce qui réserve deux actes à la comédie et trois à la tragédie.

Ainsi, la tragédie commence à l'acte III avec les deux morts de Mercutio et Tybalt lors de leur duel dans la scène 1. Ce duel aura des conséquences tragiques : le bannissement de Roméo (III, 1), la fausse mort de Juliette (IV, 5) et le double suicide du couple (V, 3). De plus, le fait que ces morts auraient pu facilement être évitées redouble le tragique de la pièce. Pourtant, en raison du mélange des genres comique et tragique, *Roméo et Juliette* est l'une des tragédies les plus drôles du répertoire shakespearien. Ce mélange peut s'expliquer par le fait que la pièce a été écrite par le dramaturge peu de temps après les comédies romantiques et légères (années 1590) et peu de temps avant les grandes tragédies noires comme *Hamlet*, *Othello* ou *Macbeth*. *Roméo et Juliette* fait donc le lien entre les deux premières périodes de la carrière dramatique de Shakespeare.

UNE TRAGÉDIE DES CONTRAIRES

Si la structure de la pièce repose sur le passage de la comédie à la tragédie, on peut également noter que la tragédie de *Roméo et Juliette* s'articule autour d'un jeu d'oppositions, de contraires et de retournements de situation.

Du rire aux larmes

La structure de la pièce est fondée sur le basculement d'un extrême à l'autre. En effet, la comédie se transforme en son contraire : la tragédie. Le spectateur passe très vite du rire aux larmes, tout comme le personnage de Capulet, le père de Juliette, qui passe de la joie procurée par les préparatifs du mariage entre Pâris et Juliette (IV, 3 et 4) aux larmes lorsqu'il découvre la « mort » de Juliette (IV, 5, v. 84-90). Le brusque passage d'un sentiment à son contraire est une des caractéristiques de cette tragédie.

De la haine à l'amour

Le même procédé de basculement caractérise le passage de la haine à l'amour. Dans le prologue, le Chœur informe le spectateur qu'un des thèmes principaux de l'intrigue est la haine entre les Capulet et les Montaigu. Cette haine est illustrée, dès la scène 1 de l'acte I, par l'affrontement entre les valets des Montaigu et ceux des Capulet. Le motif de cet affrontement est aussi obscur que les origines de la haine : ils n'ont aucune raison valable d'en venir aux mains, si ce n'est le simple fait qu'ils appartiennent à des familles ennemies. La même hostilité réapparaît lors du bal (I, 5) : Tybalt déteste tellement les Montaigu qu'il enrage que Roméo ne soit pas chassé de la fête des Capulet. Cependant, cette haine violente se transforme soudainement en amour lors du coup de foudre entre Roméo et Juliette (I, 5). Les deux jeunes gens vont s'aimer et se marier malgré la rivalité qui sépare leurs deux familles.

De l'amour à la mort

À partir de l'acte IV, un nouveau basculement survient avec la transformation de la vie des protagonistes en son contraire : la mort. Le duel entre Tybalt et Roméo, qui a pour origine la haine entre les Montaigu et les Capulet et qui aboutira à la mort de Tybalt et de Mercutio, va entraîner progressivement Roméo et Juliette à leur perte. Malgré la force de son amour, le couple ne parvient pas à surmonter la haine qui oppose leurs familles et est contraint de se suicider (V, 5). La mort apparaît comme la seule solution possible pour qu'ils puissent vivre leur amour et l'immortaliser.

Entièrement construite sur le passage d'un extrême à l'autre, la tragédie de *Roméo et Juliette* ne connaît aucune demi-mesure.

UNE ACTION MULTIPLE

Dans *Roméo et Juliette*, plusieurs lignes coexistent dans le déroulement de l'action : à l'intrigue principale viennent s'ajouter des événements secondaires et néanmoins complémentaires.

Une intrigue principale

L'intrigue de la pièce est assez clairement fondée sur les personnages de Roméo et de Juliette. Ainsi, Roméo est présent dans quasiment toutes les scènes, et l'histoire d'amour tragique entre les deux protagonistes capte l'attention du spectateur du début à la fin de la pièce. Dès le prologue, nous savons que l'évolution de leur amour est le fil principal de l'intrigue, ponctuée par la rencontre des deux jeunes gens (I, 5), leur déclaration d'amour réciproque (II, 1), leur mariage secret (II, 5), les obstacles qui les empêchent de se rejoindre (III et IV), leur suicide enfin qui leur permet d'être unis dans la mort (V, 5). La structure hybride qui fait démarrer la pièce dans une atmosphère comique et optimiste débouchant sur le mariage, puis dans un contre-mouvement vire à la tragédie, souligne la progression inévitable de l'action. En dépit des changements de rythme et d'humeur, la tragédie aura bien lieu : rien ne pourra empêcher la mort des protagonistes.

Une succession d'incidents secondaires

Sur l'action principale de la pièce – l'histoire d'amour entre Roméo et Juliette – viennent se greffer une succession d'incidents secondaires et complémentaires, qui complexifient l'intrigue. *Roméo et Juliette* est une pièce composée d'actions et d'humeurs toutes aussi multiples et variées que contrastées.

La première scène en est une bonne illustration. Elle commence avec un épisode comique entre les valets des deux familles, puis elle vire à l'affrontement et à une bagarre rangée en pleine rue où les citoyens prennent parti pour l'un ou l'autre camp. La rixe et la confusion prennent fin à l'entrée d'Escalus, le prince de Vérone, qui menace de mort quiconque osera rompre la paix civile. La scène se vide pour laisser place à une discussion entre Montaigu et Benvolio au sujet du comportement inquiétant de Roméo. Quand Roméo fait son entrée, tous sont sortis. Ne restent sur le plateau que l'amant de Juliette et Benvolio, et la scène se termine par l'échange entre deux personnages tout comme elle a débuté. À cette différence près que nous passons du discours grivois des valets au discours amoureux et sophistiqué de Roméo. En l'espace de 230 vers, Shakespeare a fait se succéder différentes atmosphères : la bonne humeur, la tension, la confusion, l'autorité, l'inquiétude. Cette succession rapide d'événements capte l'attention du spectateur, et il en va de même tout au long de la pièce. Le dramaturge a fait en sorte que le spectateur ne puisse pas relâcher sa vigilance. Quelques exemples parmi d'autres : la scène de bonheur et de calme entre Juliette et la Nourrice (II, 5) est immédiatement suivie d'une scène qui s'oppose totalement à elle par sa violence (III, 1) ; le monologue de Juliette (IV, 3) contraste avec l'effervescence de la maison des Capulet (IV, 4) ; les lamentations des Capulet (IV, 5) sont suivies d'un échange comique entre les musiciens.

Une intrigue obscure

Si l'intrigue principale de la pièce paraît solide, il faut noter que, par moments, des questions relatives à certains événements restent sans réponse car Shakespeare n'apporte aucune explication. Cela peut s'expliquer par le fait que ce qui intéresse le dramaturge, ce ne sont pas les détails mais l'intensité dramatique de l'intrigue : il réunit les protagonistes et les fait se confronter dans des scènes variées et saisissantes. Expliquer la raison pour laquelle ils sont amenés à se rencontrer lui importe peu. Les personnages ne représentent pas de véritables personnes. Shakespeare crée des personnages qui sont tout en même temps opposés et complémentaires pour pouvoir mener la tragédie à son terme. Le fait d'ignorer pourquoi les Montaigu et les Capulet se haïssent ou de douter de la crédibilité d'une histoire d'amour entre Roméo et Juliette importe peu. Car ce qui va maintenir l'attention du spectateur, c'est la progression de la comédie à la tragédie.

La structure hybride et complexe de *Roméo et Juliette* permet à Shakespeare de maintenir le spectateur en haleine. Le public n'est jamais assuré de la suite des événements. Ainsi, les retournements de situation, le passage d'un sentiment extrême à un autre sentimemnt extrême et l'intrigue composée d'une succession d'événements rapides contribuent à créer un effet de surprise d'un bout à l'autre de la pièce.

3 | Espaces et temps

Le traitement shakespearien de l'espace et du temps contraste très fortement avec celui qu'adoptera la tragédie classique au XVIIe siècle. Dans *Roméo et Juliette*, en effet, Shakespeare ne respecte ni l'unité de temps ni l'unité de lieu. L'action se déroule dans des lieux très différents et n'est pas restreinte à vingt-quatre heures puisque les événements surviennent en quatre jours.

PLACE PUBLIQUE ET PLACE PRIVÉE

Les lieux où se déroule l'action sont, soit « publics », soit « privés ». Cette division de l'espace en deux lieux a son importance dans l'intrigue.

La place publique

Les deux espaces publics où l'action se déroule sont Vérone et Mantoue. La première scène de la pièce se passe dans une rue de Vérone, la première scène de l'acte V dans une rue de Mantoue, la ville où Roméo se cache. On pourra noter que lorsqu'une scène se passe dans les rues de Vérone, comme la scène 1 de l'acte I, ce sont essentiellement des personnages masculins qui sont présents : les valets des Montaigu et des Capulet, le prince de Vérone, Montaigu, Benvolio et Roméo. De plus, ces scènes de rue sont souvent des scènes violentes dans lesquelles des joutes verbales, des duels ou des morts surviennent : le duel entre les valets (I, 1), le duel verbal entre Roméo et Mercutio (I, 4 ; II, 3), le duel et la mort de Mercutio et Tybalt (III, 1). On s'aperçoit que, dans les scènes d'extérieur, Roméo est toujours entouré de la compagnie masculine de ses amis : Benvolio et Mercutio dans les trois premiers actes ou son valet Balthazar à Mantoue (acte V). Roméo évolue dans un univers public et masculin, ce qui n'a rien de surprenant à une époque où les rues étaient des lieux dangereux et donc surtout fréquentés par les hommes. Le fait que Roméo soit présent sur la place publique définit son statut et donne d'ores et déjà l'impression au spectateur qu'il encourt un danger.

La place privée

Si Roméo est présent dans l'espace public de la rue, Juliette, quant à elle, dès sa première apparition, nous est montrée chez elle, dans la maison des Capulet (I, 3). Contrairement à celui où se déplace Roméo, l'univers de Juliette relève de la sphère privée et domestique. On peut noter que ce sont les personnages féminins – Juliette, sa mère ou la Nourrice – qui occupent l'espace domestique de la maison (la chambre de Juliette en I, 3). En effet, à l'époque élisabéthaine, la place de la femme était à la maison ; son statut l'emprisonnait dans la sphère privée. Une femme respectable ne s'aventurait pas seule ou accompagnée de ses amies dans les rues. Seules les femmes de mauvaise vie allaient sans compagnie dans la ville. Le seul personnage féminin de la pièce à s'aventurer dans l'espace public est la Nourrice, accompagnée de son valet Pierre et mandatée par Juliette, qui part à la recherche de Roméo dans les rues de Vérone (II, 3). Une fois hors de l'univers domestique, la Nourrice est importunée par Mercutio et semble être perçue comme une intruse dans un monde qui n'est pas le sien. Juliette, de par son rang, ne peut se permettre de sortir seule dans la rue ; c'est pourquoi elle demande à la Nourrice de le faire à sa place. Néanmoins, on peut constater que même une domestique est en difficulté lorsqu'elle se retrouve dans les rues de Vérone.

Après être apparus dans des lieux différents, Roméo et Juliette se rencontrent dans un même espace : celui de la maison des Capulet (I, 5). Cependant, Roméo n'est pas le seul homme à se trouver dans un endroit privé puisque Pâris y est également présent. Hormis la famille de Juliette, ce sont donc le prétendant et le mari de la jeune fille qui apparaissent et dans l'espace public et dans l'espace privé. Ce passage d'un univers à l'autre n'est pas anodin pour Roméo. Tout comme la Nourrice dans l'espace public, il fait figure d'étranger et d'intrus lorsqu'il pénètre pour la première fois dans l'espace privé des Capulet lors de la scène du bal. Ce lieu est pour lui porteur de danger car il est en terrain ennemi. C'est donc pour se protéger qu'il se dissimule sous un masque (I, 5).

Après leur rencontre, c'est toujours dans l'espace privé que Roméo et Juliette vont se retrouver: la maison des Capulet lorsqu'ils font connaissance (I, 5), le jardin des Capulet lorsqu'ils se déclarent leur amour (II, 1), la cellule du Frère Laurent lorsqu'ils se marient (II, 5), la chambre de Juliette pour leur nuit de noces (III, 5) et le tombeau des Capulet lors de leur mort (V, 3). Lorsque les deux amants sont séparés, chacun regagne la sphère à laquelle il appartient: l'espace public pour Roméo et l'espace privé pour Juliette.

UNE HISTOIRE ACCÉLÉRÉE

S'il n'y a pas d'unité de lieu dans *Roméo et Juliette*, il n'y a pas non plus d'unité de temps.

La chronologie de l'action

La pièce contient un grand nombre d'indications temporelles (jour de la semaine, heure de la journée). En effet, dans *Roméo et Juliette*, le temps est un enjeu dramatique de premier plan. On peut reconstituer clairement la chronologie de l'intrigue à partir de la question de Capulet: « Mais au fait... quel jour est-on? » et de la réponse de Pâris: « Lundi, monseigneur » (III, 4, v. 18-19). Grâce à ce repère temporel, le jour de chaque scène peut être déterminé, même si ce n'est pas le jour précis où l'action survient qui importe mais plutôt le tempo rapide dans lequel l'histoire se déroule. Par exemple, Roméo et Juliette se marient le jour qui suit leur rencontre, information plus importante que de savoir que ce jour est un lundi. Néanmoins, connaître le jour et l'heure auxquels un événement a lieu aide à résumer l'intrigue et à percevoir la rapidité du déroulement de la tragédie.

À partir de la question posée par Capulet, on peut définir la chronologie suivante. L'acte I débute le dimanche matin (I, 1, v. 156) et se termine le dimanche soir, lors de la fête des Capulet (I, 5). L'acte II commence dans la nuit du dimanche au lundi (II, 1, v. 182 ; II, 2, v. 1-2) et s'achève avec le mariage des amants le lundi après-midi (II, 3, v. 177). Le duel de l'acte III, scène 1 a lieu le lundi après-midi (v. 116) et la scène 4 se déroule dans la nuit du lundi (III, 4, v. 34-35). L'acte III se termine à l'aube du mardi, lorsque Roméo quitte la chambre de Juliette (III, 5, v. 6-8). L'acte IV se déroule dans la journée du mardi et l'on apprend dans la scène 2 que le mariage arrangé entre Juliette et Pâris est avancé d'un jour : il doit avoir lieu le mercredi au lieu du jeudi (IV, 2, v. 24). C'est le mercredi matin très tôt que l'on découvre le corps sans vie de Juliette (IV, 5, v. 9-11). C'est plus tard dans la journée du mercredi que Roméo apprend la prétendue mort de Juliette et c'est durant la nuit de ce même jour qu'il se donne la mort dans le caveau des Capulet. La tragédie s'achève à l'aube du jeudi (V, 3, v. 188-304).

La pièce se déroule donc du dimanche matin au jeudi matin. Cette chronologie accélérée met l'accent sur la soudaineté de la passion entre Roméo et Juliette et sur la fragilité de cet amour : les amants ont à peine eu le temps de commencer à s'aimer qu'il leur faut aussitôt mourir.

Une chronologie peu réaliste ?

Une échelle de temps aussi réduite était plutôt rare dans le théâtre élisabéthain (ainsi, dans *Hamlet* et dans *Macbeth*, l'action s'étend sur plusieurs mois) et ne fait qu'accentuer tout ce que l'histoire de Roméo et Juliette a de pitoyable. À l'évidence, c'est là une temporalité peu réaliste mais la notion de « réalisme » en littérature n'apparaît que dans les romans des XVIIIe et XIXe siècles. Le théâtre élisabéthain ne cherchait pas à raconter la vie quotidienne et ne se préoccupait guère de fournir des détails authentiques. Le spectateur de l'époque n'était donc pas choqué par une chronologie aussi rapide et aussi peu probable. Faire se marier Roméo et Juliette le lendemain même de leur rencontre est un moyen de mettre en relief l'intensité des sentiments qui les unit.

La chronologie n'est d'ailleurs pas la seule incohérence dans la pièce. Certaines expressions ou certains usages sont plus anglais qu'italiens. Néanmoins, l'intensité de l'histoire d'amour entre les jeunes gens fait oublier au spectateur ces incohérences. En effet, le but de Shakespeare est de mettre en scène le déroulement implacable de la tragédie et non pas de raconter une histoire réaliste.

UNE COURSE CONTRE LE TEMPS

Le temps a une importance capitale dans la progression de la tragédie. Cependant, les événements, qui s'enchaînent très rapidement, sont quelquefois ralentis par des contretemps.

Les contretemps

La tragédie aurait pu être évitée. Si malgré tout elle a lieu, c'est en grande partie en raison des contretemps qui la jalonnent. En effet, le fait qu'à plusieurs reprises certains événements surviennent trop tard a des conséquences tragiques pour les deux protagonistes. L'un des contretemps les plus importants dans l'action est celui dû au Frère Jean. Celui-ci avait été chargé par Frère Laurent de remettre à Roméo une lettre dans laquelle il l'informait que Juliette n'était pas morte mais seulement profondément endormie et qu'une fois éveillée, elle le rejoindrait à Mantoue. Or, dans la scène 2 de l'acte V, Frère Laurent apprend que sa lettre n'est pas parvenue à Roméo, Frère Jean ayant été retenu en quarantaine par les officiers de la santé de Vérone, qui suspectaient la présence de la peste dans la maison où il s'était arrêté. Contretemps terrible, comme le prouve la réaction de Frère Laurent:

> Quelle malchance ! Par mon saint ordre, ce n'était pas là
> Un message ordinaire, mais une lettre d'importance,
> Lourde de conséquences, et toute négligence
> Peut faire courir un grand danger […] (V, 2, v. 17-20)

Premier contretemps auquel d'autres vont venir s'enchaîner : ainsi, Frère Laurent arrive trop tard au tombeau des Capulet pour révéler la vérité à Roméo (V, 3, v .120-122) ; Juliette ne se réveille pas à temps de sa mort feinte pour empêcher Roméo d'avaler le poison (V, 3, v. 146) ; le page et les gardes entrent dans le caveau juste après que Juliette s'est poignardée (V, 3, v. 169-170). Ces contretemps ne font qu'accélérer la chronologie des événements.

Une course effrénée

Les événements sont nombreux et se succèdent très rapidement. Le temps s'accélère et l'action est toujours hâtive, comme le prouvent les paroles de Roméo : « Oh ! Partons d'ici ! Ne perdons pas de temps » (II, 2, v. 93). À partir de ce moment, Roméo et Juliette sont entraînés malgré eux dans une course contre le temps, course haletante qui passionne le spectateur. Ainsi, les amants se marient précipitamment le lendemain de leur rencontre (II, 5) ; après le duel, Roméo est immédiatement banni (III, 1) ou encore il rentre hâtivement à Vérone en dépit de son bannissement afin de voir le corps de Juliette dans son tombeau (V, 1, v. 34-35). Dans cette course contre le temps et cette hâte perpétuelle, l'amour de Roméo et Juliette semble de très courte durée, impression qui prévalait déjà lorsque la jeune fille comparaît leur coup de foudre à un éclair :

> Il est trop brutal, trop imprévu, trop soudain,
> Trop semblable à l'éclair qui a déjà disparu
> Avant qu'on puisse dire « Un éclair ! » […] (II, 1, v. 161-163)

Cette image de l'éclair qui rend parfaitement compte de cette course effrénée est reprise par Roméo dans la dernière scène du dernier acte, juste avant d'avaler le poison qui va lui permettre d'être à nouveau uni à Juliette :

Il arrive souvent que, sur le point de mourir,
Les hommes se sentent tout heureux. Ceux qui les veillent
Appellent cela l'éclair d'avant la mort [...]. (V, 3, v. 88-90)

C'est bien à l'« éclair » que s'apparente la passion de Roméo et Juliette.

Le traitement de l'espace et du temps est primordial dans la progression de la tragédie. La coexistence de l'espace public et de l'espace privé ainsi que l'enchaînement rapide des événements ne peuvent que conduire les protagonistes à une fin tragique et inéluctable.

4 | Les personnages de Roméo et Juliette

Les personnages de *Roméo et Juliette* sont divisés en deux groupes équilibrés : les Montaigu et les Capulet. À l'intérieur de chacun de ces deux groupes émergent deux protagonistes, Roméo chez les Montaigu et Juliette chez les Capulet. Ces deux personnages, qui forment un couple, ont une individualité qui les rend complémentaires.

LE PERSONNAGE DE ROMÉO

Roméo est le fils unique (I, 5, v. 134) et l'héritier de Montaigu (V, 3, v. 207-208). Il a environ seize ans, il est beau (II, 1, v. 141) et il est connu à Vérone pour sa sensibilité et sa modération.

Un amoureux mélancolique

Lors de sa première apparition, Roméo se présente comme un amoureux malheureux qui se complaît dans la douleur que son amour contrarié pour Rosaline fait naître en lui. Il semble prendre un certain plaisir masochiste à ne pas être aimé de Rosaline et ne désire pas courtiser d'autres femmes. Sa passion pour Rosaline est un sentiment convenu qui reprend tous les stéréotypes de la poésie amoureuse de la Renaissance. Épris d'une belle femme indifférente, Roméo est un amoureux caricatural copié de Pétrarque[1] : il s'apitoie sur son sort, ne trouve pas le sommeil, fait

---

1. *Pétrarque* (1304-1374) : poète italien auteur de *Sonnets* qui chantent l'amour pour une dame unique et inaccessible, dont l'insensibilité plonge l'amant dans des tourments contradictoires.

part de sa douleur à ses amis pendant des heures (I, 1, v. 181-191) et se compare à un mort vivant (I, 1, v. 220).

Cependant, cette mélancolie n'est pas l'état naturel de Roméo. Le fait que Montaigu, Benvolio et Mercutio parlent à ce point de l'humeur sombre du jeune homme montre bien que celui-ci a changé et que ce changement les préoccupe (I, 1, v. 138-140 ; I, 4, v. 13). Roméo a une bonne image dans la société véronaise. C'est ainsi que Capulet, l'ennemi de son père, parle de lui durant le bal comme d'« un garçon vertueux, plein de modération » (I, 5, v. 64-66). Toutes les remarques émanant de son entourage prouvent qu'avant d'être torturé par ses sentiments pour Rosaline, Roméo était un jeune homme gai et sociable, apprécié du groupe auquel il appartient.

Un Roméo passionné

Malgré son amour pour Rosaline qui le laisse inconsolable (I, 2), Roméo est frappé par un coup de foudre et un amour passionné pour Juliette lors du bal des Capulet (I, 5). Ce nouvel amour semble être un remède aux maux du jeune homme car celui-ci recouvre immédiatement son état naturel, pour le plus grand plaisir de son ami Mercutio :

> Et bien, tout cela n'est-il pas mieux que des gémissements d'amour ? Maintenant te voilà sociable, te voilà à nouveau Roméo, non plus tête de lard mais tel que t'ont fait l'art et la Nature [...].
> (II, 3, l. 87-90)

Alors que son amour pour Rosaline le plongeait dans le pessimisme et les lamentations, sa passion pour Juliette révèle sa véritable personnalité et sa joie de vivre. Ce retour soudain à sa vraie nature révèle à quel point Roméo peut être plein d'esprit (II, 3, v. 66-67 et 69-70) mais jette également le doute sur l'authenticité et la profondeur de ses sentiments pour Juliette. Comment est-il possible d'aimer follement Rosaline tout le jour du dimanche et de s'éprendre passionnément de Juliette le soir puis de l'épouser le lundi ? Le changement brusque de l'objet de son amour souligne, d'une part, l'immaturité et l'inconstance de Roméo (II, 2, v. 65-68 et 89) et, d'autre part, son tempérament passionné et excessif qui peut être dangereux pour son avenir, comme Frère Laurent le lui fait remarquer (II, 5, v. 9 et 14-15).

Un Roméo impétueux

Après son coup de foudre, tous les actes de Roméo vont être guidés par la passion. À partir de la scène 1 de l'acte II, il ne prend plus le temps de la réflexion avant d'agir. Ce nouvel amour révèle en lui un caractère impétueux. Il s'éloigne à nouveau de l'image que la société véronaise a de lui (« plein de modération », I, 5, v. 64-66). Les exemples de ce caractère impétueux et impulsif sont nombreux à partir de l'acte II. Tout d'abord, dans la scène du balcon, il se laisse emporter par son amour et c'est Juliette qui le ramène à la raison en lui expliquant de quelle manière il est possible d'arranger leur mariage au plus vite (II, 1, v. 185-189 et 219). Ensuite, lorsqu'il se rend dans la cellule de Frère Laurent, il semble très pressé que le Frère les unisse mais son seul argument pour le convaincre est qu'il doit les marier (II, 2, v. 60-64). Plus tard, lors de sa rencontre avec Tybalt, Roméo essaie de faire preuve de modération mais, après la mort de son ami Mercutio, il abandonne toute raison et se laisse gagner par l'impulsivité et la haine :

> Retournez donc au ciel, charitables pensées,
> Et toi, Fureur à l'œil de feu, sois désormais mon guide !
> (III, 1, v. 127-128)

Ce passage souligne également le code d'honneur que Roméo, en tant que gentilhomme véronais, se doit de respecter. Laisser le meurtre de son ami impuni équivaudrait pour lui à faire preuve de lâcheté. À l'annonce de son bannissement, qui entraîne sa séparation d'avec Juliette, Roméo perd le contrôle de lui-même et c'est Frère Laurent qui le ramène à la raison (III, 3, v. 144-151). Lorsqu'à Mantoue il apprend la mort de sa bien-aimée, sa réaction témoigne du comportement qui est le sien depuis son coup de foudre : il réagit impulsivement sans se donner le temps de la réflexion. Tout comme il avait décidé de se marier précipitamment, il court maintenant à Vérone pour se donner la mort dans le tombeau de Juliette.

La passion et l'impétuosité sont les traits distinctifs du caractère de Roméo et jouent en tant qu'éléments déclencheurs de la tragédie. Ainsi, par exemple, si, au lieu de se précipiter tête baissée à Vérone, Roméo s'était arrêté sur la nouvelle de la mort de Juliette, la tragédie aurait pu être évitée : il aurait en effet eu le temps d'apprendre que sa femme n'était pas réellement morte.

Ces défauts qui sont aussi des qualités – il aime passionnément Juliette et est prêt à tout risquer pour elle – font à la fois la force et la vulnérabilité de son personnage.

LE PERSONNAGE DE JULIETTE

Juliette est la protagoniste du deuxième groupe de personnages : les Capulet. Tout comme Roméo, elle est leur unique héritière (I, 2, v. 15 ; I, 5, v. 112). Elle n'a pas encore quatorze ans (I, 3, v. 12).

D'une Juliette obéissante à une jeune femme mûre

Juliette est un personnage plus calme et plus réfléchi que Roméo. Sa première apparition nous montre une jeune aristocrate obéissante et soumise. En effet, en raison de son rang et de son statut de femme élisabéthaine, elle n'a pas la même liberté que Roméo. Contrairement à celui-ci qui recouvre sa vraie personnalité dès la scène 5 de l'acte I, l'amour qu'éprouve Juliette entraîne une transformation radicale de sa personnalité. Au cours de la pièce, Juliette passe de l'état de jeune fille naïve et obéissante à celui de jeune femme mûre et sûre d'elle-même (III, 5, v. 122-124). Dans le fil de l'intrigue, ce changement est mis en lumière, avec des éclairages différents selon le personnage avec lequel elle apparaît (la Nourrice, ses parents ou Pâris), à chaque apparition de la jeune fille. On peut souligner que ce sont les sentiments profonds et authentiques qu'elle ressent pour Roméo qui lui donnent de l'assurance et de la force de caractère (II, 1, v. 143-144 ; III, 2, v. 142-143).

Le rôle de Juliette

Mais la métamorphose de son caractère n'est pas le seul élément qui distingue Juliette de Roméo. Elle s'en différencie également par le langage qu'elle emploie pour exprimer ses sentiments. En effet, à l'inverse de Roméo, Juliette recourt à un langage simple (II, 1, v. 133 et 141-142), dénué de formes poétiques et de figures de style (II, 1, v. 125-127 et 150-151), qui reflète son honnêteté envers Roméo et envers elle-même. Or, c'est précisément elle que les événements tragiques de la pièce vont pousser à jouer la comédie, à tromper son entourage. En effet, le bannissement de Roméo et le mariage arrangé avec Pâris que veut lui imposer son père l'obligent à appliquer le plan du Frère Laurent : faire croire à tous qu'elle est morte et donc jouer le rôle d'une « morte vive » (IV, 1, v. 105-106). Ce mensonge va à l'encontre de sa nature (IV, 2, v. 17-21) et la mènera à sa perte. Cette conduite contre nature lui est dictée par son amour. C'est lui qui l'entraîne dans le cercle vicieux du mensonge et du secret, seuls moyens pour elle de rejoindre Roméo. Les sentiments qu'elle éprouve donnent à Juliette le courage de jouer ce rôle dangereux et de confier sa vie à son bien-aimé (V, 3, v. 56-57).

Une jeune fille seule face à son destin

Le passage d'une enfant obéissante à une jeune femme déterminée va peu à peu entraîner Juliette dans la solitude. Certes Roméo proscrit est lui aussi isolé à Mantoue mais c'est Juliette qui doit affronter et lutter contre les événements seule. En effet, coupée du monde de ses parents auxquels elle ne peut avouer son mariage secret avec Roméo, Juliette, à partir du bannissement du jeune homme (IV, 1), se retrouve dans l'isolement le plus total. De plus, elle se détache de sa Nourrice et confidente puisque cette dernière lui conseille d'épouser Pâris et donc de devenir bigame (III, 5, v. 218-220). L'exclamation : « Démon perfide ! » (III, 5, v. 237) souligne le désarroi et l'isolement de Juliette. Ainsi, seule face à son destin, Juliette devient l'archétype de l'héroïne tragique :

> Cette scène lugubre, je dois la jouer seule. (IV, 3, v. 19)

Roméo et Juliette sont donc des personnages assez différents mais c'est précisément cette différence qui fait la force du couple qu'ils forment. Ce qui importe à Shakespeare, ce n'est pas leur individualité mais leur évolution afin de leur donner dans cette tragédie le rôle de martyrs.

5 | Les autres personnages

À l'image des protagonistes qui forment un couple, les autres personnages des deux camps rivaux sont eux aussi regroupés par couples. Ainsi, il y a les ennemis, les conseillers, les parents et les prétendants.

LES ENNEMIS

Tybalt, le querelleur, apparaît dans deux couples d'ennemis. D'une part, il est opposé à Mercutio contre lequel il se battra afin de défendre l'honneur des Capulet. D'autre part, il est opposé à Benvolio, partisan de la paix et de la réconciliation.

Mercutio et Tybalt

Mercutio est l'un des personnages clés de la pièce. Il est à la fois l'ami de Roméo et l'ennemi de Tybalt, tout comme il est à la fois source de comique et de source de tragique. En effet, si Mercutio est.très présent dans la première partie de la pièce qui relève de la comédie, il est aussi celui par qui la tragédie arrive puisque sa mort lors du duel avec Tybalt (III, 1) va conduire Roméo à tuer le cousin de Juliette pour venger son ami.

Au début de la pièce, Mercutio est un personnage vif, drôle, irrévérencieux, qui se moque des lamentations et de la mélancolie amoureuse de Roméo (I, 4, v. 27-32). Bouffon d'un côté, ses nombreux traits d'esprit et ses plaisanteries grivoises, voire paillardes (I, 4, v. 93-96; II, 1, v. 7-29; II, 3, v. 36-45), divertissent le public et donnent au début de la pièce une tonalité comique. Mais, poète de l'autre, Mercutio est capable de passer des sous-entendus obscènes au registre imagé et poétique, dont le morceau de bravoure est sa longue tirade sur les rêves et la reine Mab (I, 4, v. 54-89).

Ami de Roméo, non apparenté aux Capulet ni aux Montaigu, Mercutio est l'ennemi de Tybalt, le neveu de lady Capulet. À cette rivalité, il apporte néanmoins une touche légère en se moquant des qualités artificielles de l'escrimeur Tybalt. Ce dernier, pour Mercutio, n'est pas un bon duelliste car il s'attache davantage à l'application de règles d'escrime apprises dans un manuel italien qu'au duel en lui-même (voir ses commentaires ironiques dans la scène 3 de l'acte II, v. 18-25). La rivalité entre les deux hommes se confirme dans la scène 1 de l'acte III lors de leur duel. Cependant, il faut remarquer que le duel n'est pas motivé par une provocation de Tybalt : Mercutio, indigné par l'esquive de Roméo, se lance au combat pour défendre le camp des Montaigu et laver l'honneur de son ami (III, 1, v. 74-75). Ce qui déclenche le duel n'est donc pas la rivalité entre les deux hommes, mais bien plutôt la haine entre les deux familles. Et, jusqu'à son dernier souffle, Mercutio fait preuve d'humour et de répartie, comme en témoignent ses remarques sur la taille de sa blessure (III, 1, v. 100-101). Pourtant il est responsable, non seulement de sa propre mort et de celle de Tybalt qui va suivre, mais aussi du déclenchement de la tragédie.

Tybalt, neveu de lady Capulet, est l'ennemi des Montaigu et donc de Roméo et de Mercutio. Cependant, ce n'est pas sa seule filiation familiale qui l'oppose à Mercutio, c'est également son caractère. Contrairement à l'ami de Roméo, Tybalt semble dépourvu de joie de vivre et d'humour. Il peut d'ailleurs être considéré comme un personnage sans relief puisque son caractère n'évolue pas et qu'il est toujours de la même humeur : querelleur et furieux (I, 1, v. 64-70 ; I, 5, v. 52-90 ; III, 1, v. 37-84). Tybalt prend très au sérieux la rivalité entre les deux familles et il est prêt à se battre pour défendre le clan auquel il appartient (I, 5, v. 80-86). Tybalt, contrairement à Mercutio, apparaît peu dans la pièce (uniquement dans les actes I et III) et son rôle se limite à rappeler au public que la haine entre les deux familles en est la toile de fond.

Benvolio et Tybalt

Benvolio, neveu de Montaigu et ami de Roméo, est également l'ennemi de Tybalt. Contrairement à Tybalt, il n'est ni impétueux ni querelleur mais pacifiste. Son rôle est tout d'abord de sortir Roméo de sa mélancolie (I, 1, v. 223-234 ; I, 3, v. 94-99) puis d'apaiser les tensions entre les deux camps. Benvolio plaide toujours pour la paix (I, 1, v. 66 ; III, 1, v. 1-4 et 51-54) et, tout comme celui de Tybalt, son personnage évolue peu. Toujours dans l'ombre de Roméo et de Mercutio, à la mort de ce dernier il disparaît de scène puisque, ayant échoué à empêcher le duel, son rôle de pacificateur n'a plus lieu d'être.

LES PARENTS DE JULIETTE

Lady Capulet a épousé Capulet, un homme plus âgé qu'elle, à l'âge de sa fille (quatorze ans) – ce qui explique qu'ils soient pressés de voir Juliette mariée.

Capulet

Capulet est le chef de l'une des deux familles rivales de Vérone. Il est présenté tantôt comme un vieillard amoindri par l'âge, tantôt comme un tyran domestique, tantôt comme un homme de bien : s'il fait preuve d'une certaine tolérance vis-à-vis de Roméo lors du bal (I, 5), son statut de patriarche du clan et l'idée qu'il se fait de son autorité passent avant l'amour de sa fille, qu'il aime (I, 2, v. 14-15 ; IV, 5, v. 62-63) mais à qui il ne demandera jamais son avis quant au mariage qu'il lui arrange. Capable de tendresse, il se comporte en père tout-puissant qui vire à la colère lorsque Juliette lui désobéit (III, 5, v. 150-158 et 161-169).

Lady Capulet

Lady Capulet n'a qu'un très petit rôle dans la pièce. En tant qu'épouse, elle est soumise elle aussi à l'autorité de Capulet et ne peut que se plier aux décisions prises par son mari pour assurer l'avenir de leur fille. En tant que mère, elle n'émerge pas davantage puisqu'elle n'a pas élevé Juliette, envers laquelle elle se montre froide et distante, ne s'entretenant avec elle qu'en présence de la Nourrice qui, elle, connaît mieux la jeune fille (I, 3, v. 7-10).

LES CONSEILLERS : FRÈRE LAURENT ET LA NOURRICE

Le couple des conseillers de Roméo et Juliette est formé de Frère Laurent qui est le mentor de Roméo et de la Nourrice qui est la confidente de la jeune fille.

Frère Laurent

Frère Laurent, moine franciscain, confesseur de Roméo, est le personnage vers lequel Roméo et Juliette se tournent quand ils ont des problèmes. Calme, modéré, Frère Laurent est aussi philosophe (II, 2, v. 1-22). Il est néanmoins un personnage complexe dans la mesure où son rôle est également politique et stratégique.

Son rôle de conseiller apparaît à plusieurs reprises : lorsqu'il recommande à Roméo de ne pas conclure un mariage hâtif avec Juliette (II, 2, v. 94 ; II, 5, v. 15) ; lorsqu'il l'empêche de se donner la mort (III, 3, v. 107-120) et le convainc d'accepter l'exil à Mantoue (III, 3, v. 148-149) ; lorsqu'il donne à Juliette désespérée la potion qui lui donnera l'apparence d'une morte (IV, 1, v. 90-121).

Cependant, son rôle est des plus ambigus : c'est par lui que, d'abord, les amants sont unis, mais c'est aussi par lui qu'ensuite la tragédie se noue. En acceptant d'unir Roméo et Juliette, il espère mettre fin à la haine entre les Capulet et les Montaigu (II, 2, v. 91-92), intention louable qui lui donne un rôle politique semblable à celui du prince Escalus qui tente de ramener la paix civile à Vérone. Mais le Frère commet deux erreurs : d'une part il célèbre le mariage des jeunes amants dans la précipitation, précipitation étonnante chez celui qui la désapprouvait chez Roméo (II, 2, v. 94) ; d'autre part, il les marie secrètement, sans le consentement de leurs

familles, ce qui, normalement, ne peut être approuvé par les auto-
rités ecclésiastiques. Là, le personnage du Frère correspond bien
à l'image que l'Angleterre protestante d'Élisabeth Ire avait de
l'homme d'Église catholique: celle d'un être rusé et intrigant.

Et, effectivement, plusieurs questions morales se posent à propos du Frère: pourquoi dissimule-t-il le mariage? Pourquoi ment-
il aux Capulet lors de la découverte du corps de Juliette (IV, 5,
v. 67-68 et 91-95)? Ses actes sont-ils moraux? Un personnage
met en doute la moralité du Frère, c'est Juliette. En effet, au
moment d'avaler la potion, Juliette se pose des questions: et s'il
s'agissait d'un vrai poison qui, en la faisant mourir, permettrait
d'éviter qu'on ne découvre la faute du Frère, ce mariage qu'il a
célébré dans le secret (IV, 3, v. 23-27)? Finalement, la jeune fille
chasse ses craintes et ses doutes (IV, 3, v. 27-28), tout comme le
prince de Vérone qui, dans la dernière scène de la pièce et après
avoir écouté les explications de Frère Laurent, déclare que, malgré
son plan, il n'est pas responsable de la mort des jeunes gens car
il avait de bonnes intentions: ramener la paix à Vérone (V, 3,
v. 269-270 et v. 285):

> Nous avons toujours vu en toi un saint homme. (V, 3, v. 269)

La Nourrice

La Nourrice est la mère nourricière de Juliette, sa confidente,
tout comme le Frère est celui de Roméo – les deux personnages
sont d'ailleurs réunis une fois dans la scène 3 de l'acte III.

Dans la scène 3 de l'acte II, elle se retrouve face à Mercutio dont
le caractère est assez proche du sien: enjoué et friand d'allusions
grivoises. Mais, contrairement à Mercutio, la Nourrice est un pur
personnage comique, voire de farce. Ainsi, lorsqu'elle fait part de
sa vision de l'amour, elle le fait en des termes déplacés, voire vul-
gaires (I, 3, v. 38-49 et 51-58) et il est difficile de l'interrompre (I, 3,
v. 50 et 59). Comme les personnes de sa condition, elle est très
bavarde et s'exprime souvent de façon grossière. La Nourrice, qui

veille sur Juliette depuis sa naissance, est pour elle comme une seconde mère (I, 3, v. 7-9). Elle est plus qu'une servante, elle est une personne de confiance. On peut noter qu'en tant que conseillère, elle n'est pas aussi fiable que le Frère. En effet, elle n'est jamais du même avis : elle soutient d'abord l'idée d'un mariage entre Juliette et Pâris (I, 3, v. 78) puis elle accepte de jouer l'intermédiaire entre Juliette et Roméo pour l'arrangement de leur mariage secret (II, 4, v. 68-77). Plus tard, elle est d'accord avec Juliette lorsque celle-ci condamne Roméo pour le meurtre de Tybalt (III, 2, v. 90), puis lorsque la jeune fille change d'avis et se met à défendre son mari (III, 2, v. 138-141). Quelques répliques plus tard, elle change encore d'idée lorsqu'elle conseille à Juliette d'épouser Pâris, c'est-à-dire de devenir bigame (III, 5, v. 215-227), puisque – et la Nourrice le sait – la jeune fille est déjà mariée à Roméo. La Nourrice est donc incapable de se forger une opinion personnelle, elle réagit en fonction du parti pris par le dernier qui a parlé. Après son revirement dans la scène 5 de l'acte III, la Nourrice perd son rôle de confidente (v. 237 et 241-242).

Cependant, derrière ce masque comique et brouillon, il y a une base solide : la Nourrice aime sincèrement Juliette et désire la protéger. Elle est de bonne foi et et ne doute pas un instant des conseils qu'elle prodigue à la jeune fille (III, 5, v. 229).

LE PRÉTENDANT OFFICIEL : PÂRIS

Le comte Pâris, apparenté aux Capulet, a demandé la main de Juliette à son père et a reçu l'autorisation de lui faire la cour. Il est donc, par définition, le rival de Roméo. Les deux hommes sont de tempérament opposé : Pâris est calme et courtois alors que Roméo est passionné et impulsif. Contrairement à Roméo, Pâris respecte les usages de l'époque et fait à Juliette une cour en bonne et due forme. En effet, il est le prétendant officiel et non pas le prétendant de l'ombre ou le mari caché comme Roméo. Pâris fait à Capulet une demande en mariage dans les règles (I, 2) puis, lorsque Capulet décide de lui donner la main de sa fille, il l'accepte, alors qu'il sait que Juliette n'est pas au courant de ce mariage arrangé (III, 4). À l'inverse de Pâris qui n'a jamais parlé à Juliette et fait sa cour par l'intermédiaire de Capulet, Roméo, lui, s'est adressé directement à Juliette sans jamais parler à son père, ce qui est contraire aux usages de l'époque. Pâris est un amant très différent de Roméo : courtois, froid et poli, dénué de toute passion et de respect quant aux souhaits de la future mariée (« Cela pourra et devra être dès jeudi, mon amour », IV, 1, v. 20).

Cependant, Pâris est sincèrement épris de Juliette (IV, 1, v. 30-33). Le fait qu'il se rende au caveau des Capulet pour déposer des fleurs sur la tombe de Juliette (V, 2) le confirme. Le confirme également le fait qu'après avoir été mortellement blessé par Roméo, les derniers mots de Pâris sont de lui demander que son corps soit déposé dans le tombeau afin de reposer auprès de Juliette (V, 3, v. 72-73).

Les personnages principaux formant un couple, il était logique de regrouper les personnages secondaires de la même façon. Mais les regroupements n'ont pas été laissés au hasard. Chaque couple se compose de personnages très contrastés qui appartiennent à l'une des familles ennemies et qui ont chacun un rôle précis. Chaque couple de personnages crée la tension dramatique. C'est pourquoi Shakespeare a dû développer certains personnages figurant dans les sources dont il s'est inspiré ou bien en créer d'autres, comme Mercutio et la Nourrice.

6 | Le mythe de l'amour

Roméo et Juliette est une tragédie amoureuse dont les héros sont entrés au panthéon des amants célèbres. La passion entre Roméo et Juliette, et à travers eux le mythe de l'amour, est le thème principal de la pièce puisque c'est elle qui va conduire le couple à une fin tragique.

D'UN AMOUR PÉTRARQUISTE AU COUP DE FOUDRE

Un amoureux à la Pétrarque

Au début de la pièce, Roméo ne cesse de se lamenter et de se plaindre. À travers un langage amoureux convenu et stéréotypé, il exprime sa douleur de ne pas être aimé de Rosaline qui a fait vœu de chasteté. Son comportement et son langage répondent aux conventions héritées du poète italien Pétrarque (1304-1374), très apprécié dans l'Angleterre élisabéthaine. Lorsque Roméo évoque son amour pour Rosaline dans la scène 1 de l'acte I, son discours est imprégné par les codes de la poésie pétrarquiste, ceux d'un amour courtois où la jeune fille est inaccessible (v. 204-212), tandis que l'amant, poussé par la frustration, décrit ses peines dans des envolées lyriques (v. 167-179 et 214-220).

La mélancolie de Roméo inquiète son entourage (I, 1, v. 143-151). Benvolio lui suggère de se rendre à la fête des Capulet où il pourra comparer Rosaline aux autres beautés de Vérone. Mais Roméo, toujours dans sa rhétorique pétrarquiste, lui répond que Rosaline est une nouvelle Diane qui se dérobe aux flèches de l'amour (I, 1, v. 205-208) et que les regards qu'il pose sur elle sont emplis de dévotion religieuse (I, 2, v. 88). Comme Benvolio, Mercutio ne prend pas au sérieux les lamentations amoureuses de Roméo et, à l'aide d'images poétiques brillantes, tente de le convaincre de venir danser (I, 4, v. 40-43). Roméo, finalement, accepte de se rendre à ce bal où il pense apercevoir Rosaline, mais c'est alors qu'il voit Juliette dont la beauté le foudroie instantanément.

▌Le coup de foudre

Lors de la fête des Capulet, Roméo et Juliette ont un coup de foudre réciproque (I, 5, v. 40-51 et 131-32). On pourrait penser que ce coup de foudre – l'amour surgissant involontairement et instantanément sous les flèches d'Éros, le dieu de l'amour – ressortit aux mêmes conventions que le discours où Roméo évoque son amour pour Rosaline. Or, la passion qui surgit entre Roméo et Juliette n'a rien de conventionnel puisque ses effets vont bouleverser la vie des jeunes gens. Fasciné par la beauté de Juliette, Roméo s'ouvre à une nouvelle forme d'amour qui est pour lui une révélation (I, 5, v. 50-51) : il s'aperçoit que ses sentiments pour Rosaline étaient artificiels. Il recouvre sa vraie nature et abandonne son comportement mélancolique et sa posture pédante d'amoureux pétrarquiste (I, 5, v. 42-45). La rupture est absolue entre la situation initiale des deux héros et la situation nouvelle créée par le coup de foudre, renversement illustré dans leur déclaration d'amour lors de la scène du balcon (II, 1). Dans cette scène, Roméo exprime à travers un langage poétique brillant des sentiments tendres et profonds (II, 1, v. 45-68). Alors que jusqu'à présent, il était amoureux de l'amour, il est désormais amoureux de Juliette, amour qui pour lui est une nouvelle naissance : « Je serai baptisé à nouveau » (II, 1, v. 93).

Cet amour transforme aussi Juliette. Jeune fille soumise et obéissante avant le coup de foudre, elle se rend compte maintenant que l'amour, loin de correspondre à l'arrangement des parents (I, 3, v. 69-70), est un sentiment profond qui peut être ressenti par hasard. Envahie par cet amour qu'elle a « choisi », elle le déclare simplement et directement à Roméo (II, 1, v. 128-132), et prend la décision d'unir leurs vies avant que l'idée en vienne à Roméo (II, 1, v. 186-87). Cette scène montre que Juliette a pris de l'assurance et qu'elle devient adulte. Roméo également fait preuve de maturité, comme le remarque Frère Laurent lorsqu'il vient lui demander de célébrer leur mariage. Le religieux pense tout d'abord que Roméo est venu l'entretenir de Rosaline puis, lorsque le jeune homme lui raconte son nouvel amour, il lui reproche son inconstance. Pour le Frère, ce changement est trop rapide. Cependant, les arguments et la fougue de Roméo sont si forts qu'il se déclare prêt à aider les amants. Le Frère a aussi une idée derrière la tête : en célébrant ce mariage, il espère pouvoir réconcilier les deux familles et ramener la paix civile à Vérone (II, 2, v. 85-92). Le changement d'attitude de Roméo est aussi remarqué par Mercutio qui s'en réjouit (II, 3, v. 87-92). Alors qu'il errait tel un mort vivant (I, 1, v. 220), son coup de foudre pour Juliette l'a rendu à la vie.

DE LA RAISON À LA PASSION

L'amour entre Roméo et Juliette est fort et puissant mais, comme il ne répond pas aux conventions de l'époque, il va se heurter à la société dans laquelle le couple est né.

Le couple face aux familles

L'amour dans *Roméo et Juliette* est vu sous deux angles. La vision pétrarquiste coexiste avec celle des conventions sociales, selon laquelle l'amour naît après le mariage. Cette dernière optique est celle de Capulet, le père de Juliette. Au début de la pièce, il s'entretient avec le comte Pâris qui correspond aux critères du parti idéal pour sa fille. À l'époque, la fille passait de l'autorité de son père à celle de son mari, ce qui explique que

Capulet choisisse le mari de Juliette sans lui demander son avis. On peut penser également que ce mariage arrangé par Capulet reflète le caractère autocratique d'un homme qui a tout pouvoir sur sa famille. Cependant il est honnêtement convaincu de faire le bonheur de sa fille en lui faisant faire ce qui, pour lui, est un bon mariage (I, 2, v. 13-19 ; III, 4, v. 12-28). C'est pourquoi, lorsque Juliette refuse d'épouser celui qu'il a choisi, il entre dans une violente colère, la couvre d'insultes et menace de la renier (III, 5, v. 150-158).

L'amour vu par les familles s'inscrit dans la droite ligne des conventions sociales et n'a rien à voir avec le caractère de celui qui unit Roméo et Juliette. Car le couple, lui, ne respecte aucune règle (coup de foudre, pas de cour, mariage secret…) et se met du coup hors la loi. Il doit cacher sa passion et se battre contre un entourage et une société qui ne connaissent ni le respect de l'autre ni le caractère épanouissant de l'amour.

Mesure et démesure

La vision de l'amour des parents de Roméo et Juliette est celle de la mesure. Capulet pense qu'il est le seul à même de faire le meilleur choix pour sa fille. Pour lady Capulet, l'amour est une affaire de sagesse et, par conséquent, il faut s'incliner devant le choix du père. Pour la mère de Juliette, rien de plus naturel puisque c'est ce qu'elle a fait elle-même. En effet, le fait qu'elle ait été mère à l'âge de Juliette (I, 2 v. 71-73) et qu'elle ait épousé un homme plus âgé pour lequel elle n'éprouve pas de réel amour (IV, 4, v. 11-12) montre que son mariage a été arrangé. Pas davantage que son mari, lady Capulet ne peut comprendre que Juliette refuse d'accepter un excellent parti comme Pâris (III, 5, v. 204-205).

Cette modération est aussi celle de Benvolio lorsqu'il tente de ramener Roméo à la raison en lui faisant comprendre que son amour pour Rosaline est exagéré et démesuré (I, 1, v. 221 et 223-224 ; I, 2, v. 45-50). Frère Laurent, lui aussi, se range du côté de la sagesse et de la mesure face à l'amour immodéré de Roméo pour

Rosaline puis pour Juliette. Désapprouvant les sentiments impulsifs et précipités du jeune homme (II, 2, v. 65-80 et 94) et se méfiant de la passion qu'il considère comme dangereuse (II, 5, v. 9-11), il conseille au couple de s'aimer avec mesure (II, 5, v. 14-15). Une fois encore, cette vision de l'amour est en opposition avec la démesure des sentiments du couple. Même si cette passion soudaine effraie Juliette (II, 1, v. 161-163), tous deux préfèrent mourir plutôt que de s'aimer sans passion (II, 1, v. 118-121 ; III, 5, v. 201-203).

De l'amour spirituel à l'amour charnel

Dans *Roméo et Juliette* passe aussi une autre vision de l'amour : celle, licencieuse et terre à terre, de la Nourrice et de Mercutio, qui contraste avec celle, toute spirituelle voire religieuse, de Roméo et Juliette lors de leur première rencontre. Ceux-ci recourent en effet tous les deux à des images religieuses pour décrire ce qui leur arrive lors de leur coup de foudre : Roméo est comparé à un pèlerin tandis que Juliette est comparée à une sainte (I, 5, v. 95, 97, 99-100). Tout en étant assimilée à une hérésie en raison de sa soudaineté (II, 1, v. 157), cette passion foudroyante est envisagée comme d'essence spirituelle.

La vision que la Nourrice ou Mercutio ont de l'amour est, quant à elle, passablement crue. Pour la Nourrice, l'amour n'est qu'une affaire de sexe, ce dont témoignent les multiples jeux de mots ou allusions grivoises dont son discours est truffé (I, 3, v. 41-44) ; et elle anticipe même jusqu'au plaisir que Juliette éprouvera lors de sa nuit de noces avec Pâris ou Roméo (II, 4, v. 75-76 ; IV, 5, v. 5-7). Mercutio, de son côté, a une vision tout à fait terre à terre de l'amour (I, 4, v. 27), qu'il ne prend pas au sérieux – voir ses moqueries répétées envers les élans lyriques de son ami (II, 1, v. 6-21). Et il pense que, derrière ses lamentations incessantes, Roméo ne fait que dissimuler son désir charnel.

A contrario, pour Roméo et Juliette, l'amour charnel n'est pas l'essence de leur passion, il n'en est que l'expression.

UN AMOUR PRÉROMANTIQUE

Shakespeare est souvent considéré comme un précurseur du romantisme, courant littéraire du XIXᵉ siècle qui a beaucoup emprunté au dramaturge anglais. Il est plus juste de dire que la pièce de *Roméo et Juliette*, souvent classée dans le genre de la « tragédie amoureuse » ou « romantique », a davantage à voir avec les œuvres préromantiques écrites à partir du milieu du XVIIIᵉ siècle.

Le romantisme de *Roméo et Juliette*

Quelles sont les caractéristiques des œuvres préromantiques ? Écrites en prose et non pas en vers, elles mettent en scène des sentiments plus forts que la raison, des intrigues où les protagonistes sont des êtres tourmentés, mélancoliques et passionnés, et connaissent une fin tragique. Tous éléments que l'on retrouve dans *Roméo et Juliette* qui, à ce titre, peut être qualifiée de pièce « préromantique ». En effet, Roméo et Juliette sont emportés par un sentiment plus fort que la raison au sens où ils sont prêts à tout pour vivre leur amour et que personne ne peut leur faire entendre raison. La pièce est focalisée sur la passion du couple, née brutalement lors de leur première rencontre. La scène du balcon (II, 1) est l'illustration même d'un amour soudain et violent, puissant, poétique et dominant tous les obstacles, qui donne aux protagonistes la force de se défier et de défier le monde. Dans la scène du balcon, les deux amants bravent tout ce qui les entoure : leurs amis, lorsque Roméo abandonne Benvolio et Mercutio pour rejoindre Juliette (II, 1, v. 5-6) ; leur famille, lorsque Juliette demande : « Roméo, rejette ton nom » (II, 1, v. 90) ; l'autorité incarnée par la figure politique du prince Escalus puisque, malgré son bannissement, Roméo revient à Vérone (V, 3).

Shakespeare décrit cette passion, qui n'a besoin d'aucune métaphore (II, 5, v. 30-34), sur une toile de fond de violence, de religion et de mort. Le suicide hante Roméo et Juliette (II, 1, v. 120-

121 ; III, 2, v. 135 ; III, 3, v. 44-45 ; III, 5, v. 202-203 ; IV, 1, v. 85-86 ;
IV, 3, v. 21-23) et leur double suicide de la scène finale (V, 3) est l'expression la plus puissante de l'amour qui les unit : ils choisissent de
se donner la mort afin de sublimer leur passion et de la rendre
immortelle, s'inscrivant par là dans le romantisme le plus fort.

▌Un épilogue romantique

La scène finale de *Roméo et Juliette* présente de nombreux
points communs avec celle de l'un des drames romantiques les
plus célèbres : *Hernani*, de Victor Hugo (1830). En effet, les deux
pièces s'achèvent sur le double suicide de deux amants qui ne
peuvent s'aimer dans la vie et qui mettent fin à leurs jours pour
immortaliser leur amour. Ainsi, tout comme Hernani et Doña Sol,
Roméo avale du poison. Trois personnages (deux hommes et une
femme) sont présents dans les deux pièces, le deuxième homme
étant Frère Laurent dans *Roméo et Juliette* et Don Ruy Gomez
dans *Hernani*. De plus, les actions des amants sont similaires : ils
s'embrassent, se portent le coup fatal et meurent. Dernier point
commun entre *Hernani* et *Roméo et Juliette* : le vocabulaire de
l'amour et de la mort, ainsi que les interrogations et les exclamations utilisées par Juliette et Doña Sol :

> Qu'est-ce que je vois ? Une coupe serrée dans la main de mon fidèle
> [amour ?
> C'est du poison, je le vois, qui a causé sa fin prématurée.
> Oh ! L'avare a tout bu sans me laisser une seule goutte amicale […].
> (*Roméo et Juliette*, V, 3, v. 161-163)

> DOÑA SOL, *se jetant sur lui*. – Ciel ! Des douleurs étranges !… /
> Ah ! Jette loin de toi ce philtre !… ma raison / S'égare. Arrête !
> Hélas ! Mon don Juan ! Ce poison / Est vivant, ce poison dans le
> cœur fait éclore / Une hydre à mille dents qui ronge et qui dévore !
> / Oh ! Je ne savais pas qu'on souffrît à ce point ! / Qu'est-ce donc
> que cela ? c'est du feu ! ne bois point ! / Oh ! Tu souffrirais trop.
> (*Hernani*, acte V, scène 6)

Dans les deux scènes, on retrouve aussi les mêmes figures de
style :

– l'oxymore : « Heureux poignard » (*Roméo et Juliette*, V, 3, v. 168), « Vois-tu des feux dans l'ombre ? » (*Hernani*, V, 6) ;

– l'antithèse : « Oh ! l'avare a tout bu sans me laisser une seule goutte amicale / Pour m'aider à le suivre ! Je vais baiser tes lèvres » (*Roméo et Juliette*, V, 3, v. 163-164), « Ce philtre au sépulcre conduit » (*Hernani*, V, 6) ;

– l'euphémisme : « [...] je vais rester toujours avec toi » (*Roméo et Juliette*, V, 3, v. 106), « Devions-nous pas dormir ensemble cette nuit ? / Qu'importe dans quel lit ! » (*Hernani*, V, 6).

Dans les deux scènes, la fin est identique : les deux amants se suicident de manière violente.

Ces similitudes entre les deux pièces ne sont pas anodines lorsqu'on sait que Victor Hugo était un fervent lecteur de Shakespeare et qu'il a préfacé la traduction par son fils, François-Victor Hugo, des œuvres du dramaturge.

C'est parce leur sacrifice au nom de l'amour en fait des martyrs que Roméo et Juliette peuvent être qualifiés de personnages romantiques. La version shakespearienne du mythe de Roméo et Juliette – elle-même réécrite à partir de sources italiennes – devait connaître un nouveau succès au XIXe siècle en inspirant des écrivains et des dramaturges du courant romantique comme Victor Hugo.

7 | Chronique d'une tragédie annoncée

Dans le prologue de l'acte I, le chœur résume l'argument de la pièce qui va se jouer: la lutte entre les deux familles, l'amour des deux héros, la fin funeste de leur aventure. Alors que tout est dit dès les premières lignes, nous allons voir par quels procédés Shakespeare réussit néanmoins à créer du suspense et à maintenir tout du long l'intensité de cette tragédie annoncée.

LE DESTIN OU LA RÉÉCRITURE D'UNE TRAGÉDIE ANTIQUE

Destin et fatalité

Le destin des jeunes amants est donc couru d'avance. Le chœur l'annonce dès le prologue de l'acte I: la fatalité joue contre eux. Le chœur les présente en effet comme « deux amants [nés] sous une mauvaise étoile » (v. 6). L'allusion aux étoiles renvoie certes au destin mais aussi, plus spécifiquement, à la croyance, fortement ancrée chez les Élisabéthains, que les astres contrôlent toutes les sphères de l'activité humaine. Il n'est que de voir les nombreuses références que Roméo fait aux astres: « Qu'un avenir encore suspendu dans les astres » (I, 4, v. 108), ou encore, lorsqu'il apprend la mort de Juliette: « Ah! c'est donc ça? Alors je vous défie, étoiles! » (V, 1, v. 24). Le poids du destin est d'autant plus important que, de par leur naissance, Roméo et Juliette sont des ennemis. L'amour qui les foudroie est donc un sentiment monstrueux, contre nature, qui va se briser contre la réalité et dont l'impossibilité les condamne à la mort. À partir de leur coup de

foudre, la fatalité ne peut que se déclencher et les laisser impuissants face à une force qui les dépasse, comme le constate Frère
Laurent :

> Une force beaucoup trop puissante pour nous
> A contrarié nos plans […]. (V, 3, v. 153-154)

Roméo reconnaît lui aussi la puissance de cette force avant de
se suicider :

> Et arracher au joug des étoiles ennemies
> Ma chair lasse de ce monde […]. (V, 3, v. 111-112)

Ainsi, les amants ne contrôlent rien : le destin détermine leur
naissance, la mort de Tybalt, leur suicide. On peut se demander si
Shakespeare n'essaie pas, à travers cette fin tragique, de trans-
mettre un message moral comme en comportaient les mystères[1]
du Moyen Âge. Mais, chez le dramaturge anglais, la passion entre
Roméo et Juliette, êtres purs, n'a rien d'impudique et si leur union
secrète est vue comme une décision précipitée et peu réfléchie,
elle n'est pas envisagée comme une faute, dont une mort violente
viendrait les punir. Pour Shakespeare, les jeunes amants sont des
victimes et leur histoire doit soulever la pitié chez le spectateur.
C'est d'ailleurs ce que suggère le sous-titre de la pièce : « La très
excellente et très pitoyable tragédie de Roméo et Juliette »

Le texte le montre, où, à plusieurs reprises, les exclamations de
Roméo ou de Juliette suscitent la pitié. Ainsi, après avoir tué
Tybalt, Roméo s'écrie : « Oh ! Je suis le jouet de la Fortune ! » (III,
1, v. 140) ; même chose après qu'il a tué Pâris : « […] Oh ! donne-
moi ta main, / Qui, comme la mienne, a signé le livre de l'amère
infortune » (V, 3, v. 81-82). Il en est de même pour Juliette qui se
récrie : « Hélas ! Hélas ! pourquoi faut-il que le ciel use de tels stra-
tagèmes / Contre une créature aussi faible que moi ? » (III, 5,
v. 211-212).

---

1. *Mystères* : pièces de théâtre qui mettaient en scène des sujets religieux.

Une nouvelle tragédie antique?

Comme nous l'avons vu précédemment, Shakespeare s'est inspiré de nombreuses sources pour écrire *Roméo et Juliette*. Le thème du destin et de la fatalité laisse à penser qu'il s'est inspiré de la tragédie antique, et notamment grecque. La tragédie grecque (Ve siècle av. J.-C.) mettait en scène des personnages poursuivis par la fatalité en raison de leur démesure, dont le sacrifice permettait à la cité de retrouver sa cohésion.

Roméo et Juliette ont des points communs avec les héros de la tragédie grecque dans la mesure où ils vivent dans une ville violente déchirée par la haine entre leurs deux familles et où leur mort permettra de rétablir l'ordre et la paix dans les rues de Vérone. Autre similitude entre *Roméo et Juliette* et la tragédie antique: la présence d'un chœur dans les prologues des deux premiers actes. Mais, chez Shakespeare, sa fonction n'a rien à voir avec celle du chœur antique, qui était chargé de commenter l'action tout au long de la pièce jusqu'à l'épilogue. Dans *Roméo et Juliette*, le personnage du chœur n'apparaît que deux fois pour exposer au public la passion des amants et les problèmes sociaux que cet amour génère: « Tenu pour ennemi, il lui est interdit / De faire les promesses que les amants se font » (II, prologue, v. 9-10). De même, le nouvel ordre social consécutif à la mort des amants et la restauration de la paix civile sont annoncés par le prince Escalus, figure de l'autorité, et non pas par le chœur: « Sombre est la paix qu'apporte ce matin » (V, 3, v. 304).

PRÉMONITIONS ET COÏNCIDENCES

À côté du destin et de la fatalité, les prémonitions et les coïncidences jouent un rôle important dans la tragédie de Shakespeare.

Les prémonitions

Dès le début de la pièce, plusieurs personnages ont la prémonition de son issue tragique. Par exemple, avant même qu'il rencontre Juliette, Roméo a un pressentiment:

Lors de cette fête nocturne et ne marque la fin / de la vie méprisable enclose en ma poitrine / par l'affreuse échéance d'une mort avant terme. (I, 4, v. 110-112)

Dans la scène suivante, chacun des amants pressent qu'un malheur les menace :

> Oh ! terrible créance. Ma vie devient la dette de mon ennemi. (Roméo, I, 5, v. 115)
> Eh oui, je le crains, mon trouble est à son comble. (Roméo, I, 5, v. 117)
> Mon unique amour né de mon unique haine, / Inconnu vu trop tôt et reconnu trop tard. (Juliette, I, 5, v. 135-136)

Dans la scène du balcon, les paroles de Juliette témoignent du même pressentiment :

> Il est trop brutal, trop imprévu, trop soudain, / Trop semblable à l'éclair qui a déjà disparu avant qu'on puisse dire « Un éclair ! » […]. (II, 1, v. 161-163)

À la fin de leur nuit de noces, Juliette a l'impression qu'elle ne reverra Roméo qu'à sa mort :

> Ô Dieu, mon âme entrevoit quelque mauvais présage. / Maintenant que tu es en bas, il me semble / Que tu es comme un mort au fond d'une tombe. (III, 5, v. 54-56)

Ce présage est suivi d'un rêve prémonitoire de Roméo :

> J'ai rêvé que ma dame venait et qu'elle me trouvait mort […]. (V, 1, v. 6)

Les deux jeunes gens ne sont pas les seuls à avoir des prémonitions. Ainsi, lors de leur mariage, Frère Laurent donne à Roméo le conseil suivant : « Aime donc avec mesure pour éviter que l'amour meure » (II, 5, v. 14). L'accumulation de ces prémonitions intensifie l'inéluctable progression de la tragédie.

Les coïncidences et le jeu de la malchance

À ces prémonitions viennent s'ajouter de nombreuses coïncidences et le concours de la malchance. L'une des coïncidences les plus tragiques est celle qui intervient lorsque Roméo, qui se rend à la fête des Capulet pour y apercevoir Rosaline, y voit Juliette et en tombe instantanément amoureux (I, 5). Cette coïncidence découle d'une coïncidence antérieure. En effet, Capulet donne la liste des invités à un serviteur analphabète. Si celui-ci avait su lire, il n'aurait jamais demandé à Roméo (rencontré par hasard dans la rue) de l'aider à déchiffrer les noms, Roméo n'aurait jamais lu celui de Rosaline dans la liste des invités et ne se serait donc jamais rendu au bal où il a vu Juliette (I, 2).

Ensuite, d'autres coïncidences viennent accélérer l'enchaînement de la tragédie: Pâris demande la main de Juliette peu avant le coup de foudre (I, 2), la malchance (en l'occurrence la peste) fait que la lettre de frère Laurent ne parvient jamais à Roméo (V, 2), Roméo se suicide juste avant que Juliette se réveille et Frère Laurent arrive juste après que Roméo s'est empoisonné (V, 3). Sans ces coïncidences et sans cette malchance, la tragédie ne pourrait avoir lieu. C'est bien pourquoi Shakespeare y recourt dans un but dramatique: intensifier la fatalité qui s'acharne sur Roméo et Juliette.

L'IRONIE DRAMATIQUE

L'ironie dramatique est l'un des procédés les plus utilisés par Shakespeare dans ses tragédies.

L'ironie dramatique et l'ironie tragique

Dès le prologue, les spectateurs savent à quoi s'attendre: deux amants issus de familles ennemies vont s'aimer mais, ne pouvant vivre leur amour, n'auront d'autre issue que la mort, laquelle réconciliera leurs parents (I, prologue, v. 1-11). Il en va ainsi tout au long de la pièce: les spectateurs en savent toujours plus que les personnages eux-mêmes. C'est ce « savoir plus » qu'on appelle l'ironie dramatique. En effet, tandis que les personnages, sur scène, font tout ce qu'ils peuvent pour défier leur destin et vivre à toute force, le public, lui, sait qu'ils n'y parviendront pas et qu'ils sont condamnés à mourir. Et le public, en réalité, souffre de ce savoir puisqu'il est impuissant face aux événements.

Voici quelques exemples d'ironie tragique dans *Roméo et Juliette*: Tybalt ne sait pas que Roméo est marié à Juliette lors du duel de la scène 1 de l'acte III; s'il l'avait su comme le public le sait, il n'aurait peut-être pas provoqué Roméo. Dans la scène 4 de l'acte III, seuls les spectateurs savent que, pendant que Capulet arrange le mariage de Juliette avec Pâris, sa fille consomme son mariage avec Roméo sous le même toit. Dans la scène 5 du même acte, le public comprend pourquoi Juliette refuse ce mariage arrangé, alors que Capulet l'ignore. Cependant, l'ironie dramatique la plus forte est celle qui opère dans la scène 1 de l'acte V, au moment où, ignorant que Juliette n'est pas vraiment morte, Roméo décide d'aller mourir auprès d'elle.

À l'ironie dramatique se mêle l'ironie tragique. Celle-ci diffère de l'ironie dramatique en ce qu'elle concerne non pas le déséquilibre de l'information entre les personnages, mais les actions mêmes des personnages: l'action qu'entreprend un personnage débouche sur un résultat opposé à ce qu'il souhaitait. Ainsi en va-t-il dans la scène 1 de l'acte III, lorsque Roméo tente de protéger Mercutio mais provoque sa mort, ou lorsqu'en tuant Tybalt pour venger son ami, il déclenche une série d'événements qui signent la mort de son couple. Même chose dans la scène 2 du même acte, lorsque les répliques de la Nourrice laissent croire à Juliette que c'est Roméo qui a été tué, alors que c'est son cousin, Tybalt, qui est mort (v. 57-60).

▌Le suspense

Pourquoi Shakespeare a-t-il pris le risque de dévoiler au public toute l'intrigue de *Roméo et Juliette* dès l'ouverture de la pièce? En effet, quel est l'intérêt de suivre le déroulement d'une action dont le dénouement est annoncé dans l'acte I? Deux explications sont possibles. La première est que Shakespeare s'étant inspiré de sources bien connues du public élisabéthain, l'intérêt de celui-ci se portait plutôt sur l'adaptation et la réécriture de cette histoire populaire par le dramaturge. La seconde est que ce procédé dramatique crée un suspense inattendu : celui de laisser croire au public qu'une fin heureuse est néanmoins toujours possible, pour peu que le cours des événements se modifie. Ce qui, bien évidemment, ne peut qu'accentuer la pitié des spectateurs et la force de la tragédie.

Plusieurs éléments, comme le destin, la fatalité, les coïncidences, les prémonitions et l'ironie dramatique contribuent à accentuer l'inéluctabilité de la tragédie annoncée du sacrifice de Roméo et Juliette.

8 | Les formes du langage dramatique

La variété des formes du langage dramatique chez Shakespeare et son vocabulaire foisonnant contribuent à la richesse de son œuvre. Dans *Roméo et Juliette*, le langage dramatique se caractérise par l'alternance entre le vers et la prose, les jeux de mots et la complexité des réseaux d'images.

DU VERS À LA PROSE

Le sonnet ou la forme de la poésie de l'amour

Dans *Roméo et Juliette*, la poésie est très présente, soit à travers des sonnets, soit à travers des tirades poétiques. Très populaire à l'époque, la poésie amoureuse revêt souvent la forme du sonnet, forme qu'appréciaient les Élisabéthains et Shakespeare lui-même, qui écrivit un recueil de *Sonnets* en 1609. On retrouve la forme du sonnet (quatorze vers composés de deux quatrains et deux tercets) dès le début de la pièce, dans les deux sonnets-prologues des actes I et II (I, prologue, v. 1-14 ; II, prologue, v. 1-14) ainsi que lors de la première rencontre entre Roméo et Juliette durant le bal (I, 5, v. 91-104). Ces sonnets ont des fonctions différentes. Ainsi, les sonnets-prologues (traduits en alexandrins) ont une fonction dramatique car ils annoncent, dans une atmosphère sérieuse, la tragédie à venir, tandis que le sonnet de la rencontre entre Roméo et Juliette souligne la solennité de l'instant et la qualité poétique et lyrique de leur dialogue. Le quatorzième vers (v. 104), qui conclut le second tercet, est suivi de leur premier baiser (v. 105) car ce vers conclut également la cour menée par Roméo.

Cependant, le sonnet n'est pas la seule forme poétique de la pièce. Celle-ci comporte également un grand nombre de tirades et de soliloques écrits en vers blancs (*blank verse*), non rimés, forme de versification la plus souvent utilisée par Shakespeare. Les vers rimés, eux, sont beaucoup moins nombreux. Les tirades et soliloques les plus marquants sont celle de Mercutio sur la reine Mab (I, 4, v. 54-96), celui de Juliette (IV, 3, v. 14-57), celui du Frère Laurent (III, 3, v. 108-157) ou encore celui de Roméo avant de mourir (V, 3, v. 74-120). Les vers blancs, très appréciés du public, créaient une atmosphère particulière : l'action marque une pause afin d'attirer l'attention des spectateurs sur une remarque d'un personnage. Tel est le cas de la tirade sur la reine Mab où Mercutio veut faire comprendre à Roméo qu'il n'aime pas réellement Rosaline, qu'il aime une illusion (I, 4, v. 71-75).

▌Le vers blanc et la rime

François Laroque, le traducteur de *Roméo et Juliette* dans l'édition retenue ici, nous informe que la versification générale du texte correspond à l'alexandrin et non pas au pentamètre iambique (vers sans rime de cinq syllabes accentuées) comme dans le texte original, et que les rimes ont été respectées à chaque fois que cela était possible. Ainsi, on peut constater que Shakespeare recourt très souvent au vers blanc, type de versification beaucoup plus répandu à l'époque que la rime :

> Vais-je dire du mal de celui qui est mon mari ?
> Ah ! mon pauvre seigneur, quelle langue pourra guérir ton nom
> Quand moi, ta femme depuis trois heures, je te mets à mal ?
> (III, 2, v. 97-99)

On trouve cependant des rimes dans les sonnets et certains soliloques pour souligner des phrases ou des moments importants. Ainsi, lors du duel entre Mercutio et Tybalt, Roméo s'exclame : « [...] Oh ! Douce Juliette, / Ta beauté a fait de moi une femmelette » (III, 1, v. 117-118).

Néanmoins, dans *Roméo et Juliette*, la versification se caractérise davantage par l'absence de rime car, comme de nombreux autres auteurs anglais, Shakespeare pensait que le vers blanc, moins rigide et moins artificiel, était mieux à même de rendre compte de la réalité.

La prose

Shakespeare passe du vers à la prose tout au long de la pièce. Cette alternance n'est pas anodine. En effet, la prose est utilisée par des personnages comiques comme la Nourrice ou de basse extraction sociale comme les serviteurs :

> Un chien des Montaigu m'émeut assez pour que je fasse front. Je ne céderai le haut du pavé à personne, homme ou femme, qui appartient à cette maison. (Samson et Grégoire, I, 1, l. 11-13)

L'emploi de la prose vise deux objectifs : le premier est de permettre au public de bien distinguer les personnages de haut rang qui ne s'expriment qu'en vers (Juliette par exemple), le second de souligner les changements d'humeur de certains personnages. Par exemple, la Nourrice s'exprime en prose lorsqu'elle fait des remarques comiques (II, 4, v. 55-57) mais elle parle en vers lorsqu'elle se fait sérieuse en transmettant à Juliette le message de Roméo :

> Alors allez vite à la cellule du Frère Laurent.
> Là, un mari vous attend pour faire de vous sa femme.
> Voici ce coquin de sang qui vous monte aux joues. (II, 4, v. 68-77)

LES JEUX DE MOTS

Shakespeare se sert des diverses significations des mots et en joue avec virtuosité afin de créer divers effets dramatiques.

Les divers sens des mots

Les énoncés à double sens, le jeu sur la signification des mots étaient très appréciés du public élisabéthain. Cependant, pour

Shakespeare, il ne s'agit pas seulement d'une écriture intelligente destinée à attirer l'attention du public sur ses qualités d'écrivain. Le dramaturge s'en sert aussi pour créer des effets dramatiques divers. On retrouve ce jeu sémantique dans des scènes graves: lorsque Juliette fait ses adieux à Roméo en jouant sur le mot « corps » (III, 5, v. 29-30) ou lorsque, dans la scène du balcon, elle se livre à une rêverie sur la nature des noms, se demandant quelle est la signification d'un nom propre comme « Montaigu » ou d'un nom commun comme «rose» (II, 1, v. 81-92). Plus loin dans la pièce, Juliette utilise des mots qui peuvent recevoir une double interprétation. Ainsi, lorsque lady Capulet pense que Juliette pleure la mort de Tybalt alors qu'en réalité, elle souffre du départ de Roméo: *+ sc ac Pâris, F.L + J*

> Ressentant si fort la perte,
> Je ne peux que pleurer à jamais cet ami. (III, 5, v. 77-78)

Le discours, qui peut être interprété de deux manières, reflète également le manque de communication entre Juliette et sa mère.

L'effet comique des jeux de mots

Les jeux de mots et leur effet comique sont présents dès le début de la pièce dans le dialogue entre les valets Samson et Grégoire. Avec leur jeu de mots sur « âge » et « pucelle », les valets font des allusions grivoises (I, 1, v. 21-27), tout comme la Nourrice qui joue avec l'expression « tomber sur la figure/tomber sur le dos » (I, 3, v. 42-43) pour suggérer la perte de la virginité de Juliette. Cependant, Mercutio est le personnage dont les traits d'esprit sont les plus nombreux. Ses jeux de mots sont si nombreux dans ses joutes verbales avec Roméo qu'il est difficile de les suivre. Dans la scène 4 de l'acte I, Roméo réutilise l'expression de Mercutio: « [rêver] de choses à dormir debout » (v. 52), pour en détourner le sens à son avantage: « C'est en dormant couché que l'on fait de vrais rêves » (v. 53). Il en est de même lors de la scène 2 de l'acte III, quand Mercutio et Roméo partent de l'idée de « la chasse à la bécasse » (bécasse signifiant aussi « idiot ») pour jouer sur les différents sens des mots liés à cet oiseau et aboutissent à des plaisanteries obscènes sur les maladies vénériennes (II, 3, v. 71-86). Plus loin encore, Mercutio se moque de la Nourrice en jouant sur les termes « vieille poule » et « faisandée » (II, 3, v. 133-139).

UN LANGAGE IMAGÉ ET SYMBOLIQUE

De nombreuses figures de style ponctuent la pièce.

▌Les oxymores et les contraires

Roméo et Juliette étant une tragédie du renversement (on bascule de la comédie à la tragédie ou d'un contraire à un autre), la figure de style que l'on retrouve le plus souvent dans la pièce est celle de l'oxymore[1].

L'oxymore illustre à merveille le comportement de Roméo. Montaigu explique à Benvolio que son fils inverse le jour et la nuit : il erre la nuit et regagne sa chambre le jour : « Les rideaux sombres du lit de l'Aurore, / Mon fils, accablé de soucis, fuit le jour qui se lève » (I, 1, v. 133-134). Quand Il expose à Benvolio la cause de ses tourments, Roméo passe d'une affirmation contradictoire à une autre :

> Il y a beaucoup de haine mais encore plus d'amour.
> Quoi ! Ô amour querelleur, ô amoureuse haine !
> Ô je ne sais quoi par le rien engendré,
> Ô pesante légèreté, sérieuse vanité,
> Informe chaos fait d'harmonieuses formes !
> Plumes de plomb, fumée lumineuse, feu glacé, santé malade,
> Sommeil éveillé qui n'est pas ce qu'il est ! (I, 1, v. 171-177)

Juliette elle aussi utilise l'oxymore lorsqu'elle apprend que Roméo a tué Tybalt : « Magnifique tyran, angélique démon » (III, 2, v. 75), ou lorsqu'elle dit, avant de mourir : « [...] Ô heureux poignard » (V, 3, v. 168). Quand elle affirme que le premier regard entre

---

1. *Oxymore* : réunion de deux termes de sens opposés.

elle et son amant détermine autant leur amour que leur mort, elle juxtapose encore des idées contraires:

> Trop semblable à l'éclair qui a déjà disparu
> Avant qu'on puisse dire « Un éclair! » (II, 1, v. 162-163)

L'idée des contraires de l'amour et la mort s'étend aux images du jour et de la nuit. Ainsi, le fait que les grandes scènes d'amour entre Roméo et Juliette ont toutes lieu durant la nuit est une préfiguration de leur mort dans le tombeau des Capulet:

> Lève-toi beau soleil et tue l'envieuse lune [...]. (II, 1, v. 47)

> [...] archange de lumière.
> Tu éclaires la nuit au-dessus de ma tête [...]. (II, 1, v. 69-70).

> Car Juliette repose ici, et sa beauté fait
> De ce tombeau un palais inondé de lumière. (V, 3, v. 85-86)

Une des meilleures illustrations de cette union des contraires est la découverte par Capulet du corps de sa fille morte:

> Le banquet de noce en triste repas d'enterrement,
> Les hymnes solennels en mornes chants funèbres,
> Les bouquets de noce en couronnes mortuaires,
> Et que tout dès lors se change en son contraire. (IV, 5, v. 87-90)

Les images et les métaphores

Les métaphores et les images sont nombreuses dans le texte de Shakespeare, en particulier lors des échanges amoureux entre Roméo et Juliette. Par exemple, lors de leur première rencontre à la fête des Capulet, Roméo utilise la métaphore de la religion et compare Juliette à une sainte tandis que cette dernière le compare à un pèlerin: « Bon pèlerin, vous offensez là votre main » (Juliette, I, 5, v. 95); « Les saintes ont-elles des lèvres comme les pèlerins? » (Roméo, I, 5, v. 99). Les amants utilisent la métaphore de la dévotion pour parler de leur amour. Plus loin, dans la scène du balcon, Roméo compare les yeux de Juliette à des étoiles:

> Deux des plus belles étoiles de tout le firmament
> Devant s'absenter un moment, ont supplié ses yeux

De briller à leur place jusqu'à ce qu'elles reviennent.
Et si ses yeux prenaient leur place et les étoiles la leur ? (II, 1, v. 58-61)

Il faut remarquer que Roméo emploie l'hyperbole (exagération) lorsqu'il parle de son amour pour Rosaline et qu'il passe au langage métaphorique lorsqu'il trouve le véritable amour avec Juliette.

Outre les métaphores, d'autres images mêlent l'amour et la beauté à la mort et la lumière à l'obscurité. Les images de la lumière et de l'obscurité servent généralement à créer un effet de contraste. L'un des exemples les plus frappants en est le discours de Roméo sur le soleil et la lune lors de la scène du balcon. Roméo décrit Juliette comme le soleil qui vient après la lune et transforme la nuit en jour (II, 1, v. 45-47). Les images de nuit et de jour réapparaissent lorsque les amants se font leurs adieux au petit matin, après leur nuit de noces. Roméo, forcé de fuir à Mantoue et Juliette, qui ne veut pas le voir partir, prétendent qu'il fait encore nuit et que la lumière n'est encore que de l'obscurité :

Cette lumière là bas, ce n'est pas l'aube, je le sais, moi […].
(Juliette, III, 5, v. 12).
Plus le jour apparaît, plus notre peine semble noire.
(Roméo, III, 5, v. 36).

À la fin de la pièce, c'est une image phallique (le poignard de Roméo qui la pénètre) qui décrit le suicide de Juliette :

[…] Ô heureux poignard, / Voici ton fourreau. Rouille en ce sein et donne-moi la mort.
Elle se poignarde et s'effondre, morte, sur le corps de Roméo.
(V, 3, v. 168-169)

La tirade de la reine Mab

Dans la scène 4 de l'acte I (v. 54-96), Mercutio se livre à une longue tirade sur la reine Mab, créature onirique qui visite les dormeurs. Les songes qu'elle leur apporte montrent aux hommes leurs vices, comme la violence ou la luxure (v. 82-95). La reine

Mab, qui chevauche à travers la nuit sur son attelage, ne symbo-
lise pas seulement les rêves des dormeurs mais également le pouvoir d'éveiller l'instinct, le désir et de créer des illusions. À travers
cette improvisation imagée, ce que cherche à dire Mercutio, c'est
que les désirs et les fantasmes sont tout aussi fragiles que la reine
Mab. Celle-ci incarne tout ce qui relève du rêve, et surtout du rêve
éveillé qui embellit la vie de l'homme et lui donne l'impression illusoire qu'il peut faire de la réalité autre chose que ce qu'elle est. Le
but de ce discours est, selon Mercutio, de montrer à Roméo qu'il
vit dans l'illusion et que son amour pour Rosaline n'est qu'un
leurre. En outre, la vision de l'amour que les images de la tirade de
Mercutio véhiculent contraste, non seulement avec celle de
Roméo, mais aussi avec celle de Juliette. En effet, même s'ils sont
conscients qu'ils se jettent dans une illusion, c'est là un danger
que les deux amants choisissent de courir (II, 1, v. 182-184).

Dans cette tragédie des contraires, le langage dramatique se
caractérise par le passage du vers à la prose, de jeux de mots
comiques à un double sens dramatique, de figures de style
comme l'oxymore à un jeu d'images contrastées. Ce basculement
d'un style à un autre reflète la structure hybride de la pièce.

9 De la querelle à la haine

Dès le prologue, le chœur annonce au public que l'amour de Roméo et Juliette se situe dans un contexte de haine : celle de leurs familles respectives qui sont ennemies. Cette toile de fond violente contraste très nettement avec le romantisme de l'histoire du couple. Shakespeare joue sur cette opposition pour faire basculer la pièce de la comédie à la tragédie. La rivalité et la haine entre les Montaigu et les Capulet deviennent une intrigue secondaire qui ne cesse de s'entrecroiser avec la passion des amants.

LES ORIGINES DE LA QUERELLE

Querelle à l'origine, la rivalité entre les deux familles véronaises s'est transformée en haine. Comment les Montaigu et les Capulet en sont-ils arrivés à se détester au point d'être prêts à sacrifier leur vie pour l'honneur de leur camp ?

Anatomie d'une querelle

Dans le prologue de l'acte I (v. 3), nous apprenons que deux illustres familles de Vérone se détestent et que leur querelle, qui est ancienne, donne lieu à des conflits réguliers comme la pièce va le montrer. De plus – le chœur l'annonce –, cette haine est si forte qu'elle entraînera la mort de Roméo et Juliette, chacun issu de l'une des familles rivales. La scène d'ouverture (I, 1) donne déjà un certain nombre d'informations sur les deux familles. La pièce s'ouvre en effet sur une conversation entre deux valets des Capulet qui ont envie d'en découdre avec des Montaigu, pour la simple raison qu'ils appartiennent à la famille rivale. Le dialogue entre

Samson et Grégoire nous révèle qu'en réalité les valets eux-mêmes ignorent pourquoi ils se battent contre les Montaigu, qu'ils savent seulement qu'ils doivent les combattre : « La querelle est entre nos maîtres et entre nous, leurs valets » (I, 1, v. 20).

Ainsi, les origines de cette querelle ne sont pas exposées car elles sont si lointaines que tout le monde les a oubliées. Seules ses conséquences sont montrées : les deux camps se haïssent tant que, lorsque leurs partisans se croisent dans la rue, ils s'insultent, se provoquent, se battent puis se vengent, mettant la ville à feu et à sang.

De la parole aux actes

Si les origines de la haine restent obscures, en revanche, Shakespeare expose clairement dans la scène d'ouverture le cercle vicieux qui en découle. Chaque rixe débute de la même manière, à savoir un échange verbal entre hommes des deux camps. Ainsi, dans la première scène, les valets des Capulet et des Montaigu se prennent à parti verbalement (I, 1, v. 50-53) puis c'est au tour de Tybalt et Benvolio d'entrer dans la querelle (I, 1, v.6 4-67) et celui de Mercutio et de Tybalt dans la scène 1 de l'acte III (v. 46-50). Durant cet échange, l'un des hommes provoque à coups de mots ou de gestes l'un des partisans du parti adverse ; ce dernier riposte, le ton monte et l'échange verbal se termine en bataille rangée. Ainsi, Grégoire propose de provoquer les serviteurs des Montaigu en les regardant de travers (I, 1, v. 39) mais c'est Samson qui le premier provoque Abraham :

> [...] Je vais leur faire la nique[1], c'est une injure s'ils n'y répondent pas. (I, 1, v. 41-42)

Il est intéressant de constater que dans le texte anglais la provocation n'est pas verbale mais gestuelle (à la façon du « regarder de travers » proposé par Grégoire). En effet, Samson se mord le

---

1. *Faire la nique* : se moquer.

pouce, geste considéré comme une insulte à l'époque élisabéthaine et qui équivaut donc à provoquer les Montaigu. De même,
Samson n'insulte pas les Montaigu mais il se moque d'eux (« faire
la nique »), sachant fort bien que, ce faisant, il va mettre le feu aux
poudres. Cette « provocation », qui n'en est pas vraiment une,
souligne bien la stupidité de cette haine dont les protagonistes
eux-mêmes ignorent tout de ses origines. Le seul personnage qui
relève cette stupidité est Benvolio :

> Séparez-vous, imbéciles que vous êtes, rengainez, vous ne savez pas
> ce que vous faites. (I, 1, v. 62-63)

D'un simple échange verbal (I, 1, v. 45-55) on est donc passé à
une bataille rangée (I, 1, v. 60-61) et à faire ressurgir la haine avec
l'entrée de Tybalt qui provoque Benvolio parce qu'il croit que
celui-ci veut venir en aide à ses valets (I, 1, v. 68-70).

LA LOI ET LA QUERELLE

La première scène de la pièce nous expose aussi les problèmes
que la querelle ancestrale entre les Capulet et les Montaigu
engendre à Vérone. La haine et ces combats sans cesse renouve-
lés perturbent la paix civile et deviennent un obstacle à l'amour
entre Roméo et Juliette. Par conséquent, l'autorité et le couple
sont opposés aux deux familles véronaises tout au long de la
pièce.

La pyramide sociale

Divers personnages font leur entrée sur scène mais selon un
ordre qui met en évidence le rang qu'ils occupent dans la société
véronaise. Après les valets, apparaissent Benvolio et Tybalt, leurs
supérieurs, puis arrivent les patriarches, Montaigu et Capulet, et
pour finir le prince Escalus qui intervient pour mettre fin à la
bataille. Shakespeare fait donc une présentation ordonnée des
personnages, qui commence par le bas de la pyramide (les valets)
pour finir par le sommet (le prince).

Ordonnée, cette présentation est aussi symétrique, chaque couple de personnages appartenant à l'une des familles rivales : du côté des Capulet, on trouve les valets Samson et Grégoire, Benvolio puis Capulet et sa femme ; du côté des Montaigu, le valet Abraham, Tybalt, puis Montaigu et sa femme. Le prince apparaît en dernier car il est la figure la plus haute de l'échelle sociale : il incarne l'autorité, le pouvoir politique à Vérone. Les valets Capulet le craignent, qui font preuve de lâcheté lorsqu'ils s'aperçoivent que la loi est contre eux (I, 1, v. 46-49). En effet, le prince a pour tâche de maintenir la paix civile et de la rétablir lorsqu'elle est mise à mal. Par conséquent, lors de la scène d'ouverture, il intervient pour faire cesser le combat et demande aux vieux Capulet et Montaigu de faire respecter les lois de la cité sous peine de mort (I, 1, v. 94-100). Lui non plus n'évoque pas les raisons de la haine mais tient les deux chefs des familles adverses pour responsables des rixes initiées par les valets (I, 1, v.87-91). On peut remarquer que le prince n'est pas le seul à ne plus supporter ce déchaînement de violence : Benvolio désire la paix (v. 66-67), la foule de Vérone aussi qui veut voir la sécurité rétablie dans les rues (v. 71-72), ainsi que Mercutio dont la réplique fait écho à celle de la foule : « La peste soit de vos deux maisons » (III, 1, v. 93).

Le rôle du prince permet à Shakespeare de rappeler la politique des Tudors et l'aversion de la reine Élisabeth Ire pour la fronde des grands seigneurs anglais qui avaient menacé la stabilité de la Couronne. Le prince et la souveraine visent le même objectif : le rétablissement de l'ordre civil. Objectif atteint par le prince dans les circonstances tragiques de la scène 3 de l'acte V de *Roméo et Juliette* (v. 304), à la manière des tragédies antiques.

Frère Laurent, la figure religieuse de la pièce, qui apparaît dans la scène 2 de l'acte II, a le même objectif que le prince. Lui aussi espère ramener la paix grâce au mariage de Roméo et Juliette qui pourrait réconcilier les deux familles ennemies. Dans la dernière scène de la pièce, le prince reconnaît d'ailleurs que Frère Laurent a œuvré dans le même sens que lui (V, 3, v. 269).

L'individu face à la société

Le prince n'est pas le seul à s'opposer aux familles rivales : Roméo et Juliette eux aussi se dressent contre elles. En effet, même s'ils semblent indifférents à la haine qui sépare les deux clans et semblent vivre dans un monde différent (II, 1 ; III, 5), les deux amants, tout au long de la pièce, ne cessent de lutter et de se dresser contre leur famille (Juliette face au pouvoir patriarcal de Capulet, III, 5), contre la loi (mariage secret) ou contre le code de l'honneur masculin qui engendre les querelles (III, 1, scène où Roméo fait tout pour éviter de se battre, même s'il se résout à venger la mort de Mercutio en affrontant Tybalt et en le tuant, v. 126-133). Chacune de ces forces crée tour à tour des obstacles à l'amour du couple. Et, petit à petit, le couple sera rattrapé par cette société dont il cherchait à se détacher pour finalement être vaincu par elle.

Les amants s'opposent aussi à la religion. Leur passion est en effet assimilée à une forme d'hérésie religieuse : « C'est bien toi le dieu que j'idolâtre », dit Juliette à Roméo (II, 1, v. 157), le terme *idolâtrer* renvoyant à un culte païen. De même, le double suicide de la scène finale (V, 3) va contre les enseignements de l'Église.

Roméo et Juliette met en scène la lutte entre les conventions de la société véronaise et les désirs de l'individu. Ainsi, on remarquera que, pour leur permettre d'échapper aux obligations de la sphère sociale (II, 1 ; III, 5), les scènes d'amour entre Roméo et Juliette ont lieu la nuit, alors que les scènes de haine et de mort ont lieu le jour (I, 1 ; III, 1). Cependant, au terme de leur nuit de noces et d'adieux, ils sont impuissants face au lever du jour qui est synonyme de leur retour dans la société (III, 5, v. 1-16) – de même que Roméo, malgré qu'il en ait, est impuissant face au code de l'honneur qui l'oblige à tuer Tybalt. Le suicide des amants peut donc être interprété comme le seul moyen qu'ils aient trouvé de regagner le monde qui les protège : celui de la nuit.

L'AMOUR COMME ANTIDOTE À LA HAINE

La dernière scène de la pièce met fin à la haine entre les deux familles dans un contexte tragique : la mort de Juliette et de Roméo, uniques héritiers des Capulet et des Montaigu. L'amour du couple joue comme un révélateur qui permet de pacifier la société.

Une haine-passion

Il est évident qu'il existe un fossé entre l'amour du couple et la haine dans laquelle cet amour éclot. Mais les deux passions que sont l'amour et la haine ont partie liée dans *Roméo et Juliette*. En témoigne l'apparition de références sexuelles lors des duels (I, 1, v. 20-32 ; III, 1, v. 34). Le coup de foudre entre Roméo et Juliette a la même force que la haine qui déchire leurs deux familles, et si leur amour vire à la passion, c'est parce qu'ils savent qu'il va leur être difficile de s'aimer. C'est pourquoi leur histoire est si rapide et intense : le temps leur est compté. On remarquera également que la haine et la passion aboutissent au même résultat : la violence et la mort. C'est la haine qui pousse Tybalt à se venger de la présence de Roméo au bal des Capulet (I, 5) en le provoquant en duel, duel au cours duquel il va tuer Mercutio (III, 1. C'est encore la haine qui pousse Roméo à se venger de la mort de Mercutio en tuant Tybalt (III, 1).

C'est la haine qui exacerbe la passion des deux amants, c'est la haine qui les pousse à s'unir secrètement – et donc à se mettre hors la loi –, c'est elle encore qui provoque le bannissement de Roméo puis le plan du frère Laurent dont l'échec va entraîner la mort de Roméo et Juliette.

L'amour comme remède

On pourrait penser que c'est la mort tragique des protagonistes qui réconcilie les deux familles ennemies. Or, il n'en est rien. Ce qui met un terme à leur querelle, ce qui est l'antidote de la haine ancestrale, c'est l'amour, devenu immortel, de Roméo et Juliette.

En effet, le prince Escalus (figure de l'autorité) tout comme le Frère Laurent (figure de la religion) ont échoué là où réussissent Roméo et Juliette, en en payant le prix fort : celui de leur vie. Les responsables de leur sacrifice ne sont autres que Capulet, Montaigu et leur haine immémoriale dont ils sont obligés de reconnaître la stupidité (V, 3, v. 302-303), de même qu'ils sont coupables de toutes les autres morts qui ont jalonné l'intrigue (Mercutio, Tybalt, lady Montaigu, Pâris), comme le leur montre la longue tirade de Frère Laurent (V, 3, v. 228-268). Le passage qui suit la mort du couple (V, 3, v. 215-309) fait baisser la tension dramatique en soulignant l'effet rédempteur de cette issue tragique. La pièce s'achève par le triomphe de l'amour qui a permis le retour de la paix civile à Vérone. La haine s'est éteinte en même temps que la vie des deux amants.

Dans *Roméo et Juliette*, la haine et l'amour sont deux thèmes indissociables, celui-ci entraînant la fin de celle-là. La pièce s'achève sur une note positive avec le retour de la paix et de l'harmonie dans la ville de Vérone. Roméo et Juliette ne sont donc pas morts en vain (V, 3, v. 304-309).

10 | Une pièce baroque?

Le courant littéraire du baroque connut un vif succès dans le dernier tiers du XVIe siècle. Les thèmes récurrents du baroque sont l'illusion[1] et le rêve, la mort, le jeu des contraires et de miroirs ou encore la mise en abyme, toutes caractéristiques que l'on retrouve dans le théâtre de Shakespeare. Mais si *Comme il vous plaira* de même que *Hamlet* sont généralement qualifiées de pièces baroques, peut-on en dire autant de *Roméo et Juliette* ?

LA MISE EN SCÈNE DE LA TRAGÉDIE

Si *Roméo et Juliette* commence comme une comédie, dès la scène 1 de l'acte III, on bascule dans la tragédie avec la mort de Mercutio, l'ami de Roméo, puis celle de Tybalt. La structure de la pièce repose donc sur un retournement de situation et le basculement d'un genre à un autre. Cette double articulation entre la comédie et son contraire atteste du baroque de la pièce.

Le jeu des contraires

Le jeu des contraires caractérise la dynamique de la tragédie. La scène 1 de l'acte III ne transforme pas seulement la comédie en tragédie, elle met aussi en scène le jeu des contraires : l'amour se transforme en haine (III, 1, v. 127-128), la haine en amour (I, 5, v. 135), la vie en la mort (V, 3, v. 120), jeu illustré par la figure de

---

1. Pour la mentalité baroque, tout est illusion, comme le dit bien la devise hissée sur le toit du théâtre du Globe, reprise par l'un des personnages de *Comme il vous plaira* : « Le monde entier joue la comédie » (*All the world is a stage*).

l'oxymore que l'on va retrouver tout au long de la pièce (III, 2, v. 75).

Si la mise en scène de la tragédie est caractérisée par un jeu de paradoxes, elle repose également sur la métamorphose de Roméo qui passe d'un amour à la Pétrarque à un amour sincère et sur celle de Juliette : la jeune fille obéissante devient une jeune femme pleine d'assurance qui affirme son caractère indépendant (mariage secret, refus du mariage arrangé, prise de la potion). Et si, dans la scène 2 de l'acte IV, Juliette reprend le rôle de jeune fille soumise auprès de ses parents, c'est uniquement afin d'être seule pour avaler la potion (IV, 2, v. 17-22). Ces métamorphoses sont caractéristiques du baroque.

▌La mise en scène de Frère Laurent

La mise en scène la plus importante de la pièce est celle du Frère dont le plan va accélérer la tragédie et conduire les amants à leur perte. Car c'est lui qui mène le couple du mariage secret à la prise de la potion qui donnera l'apparence de la mort à Juliette (IV, 1, v. 90-121). Mais c'est surtout le secret sur lequel est fondé le plan du religieux qui va déclencher la tragédie, aucun membre de leur entourage ne sachant qu'ils sont mariés. On remarquera que cette mise en scène d'une double vie pour les protagonistes crée une mise en abyme (deux metteurs en scène, deux vies) comme dans de nombreuses tragédies baroques de l'époque.

L'ILLUSION
OU « LA VIE EST UN SONGE[1] »

Une des autres caractéristiques du baroque est le thème de l'illusion et du rêve, que l'on retrouve à différentes reprises dans *Roméo et Juliette*.

---

1. Conformément au titre de la pièce du dramaturge espagnol Calderon de la Barca (1600-1681), *La vie est songe*, plus tardive (vers 1633).

L'amour est un rêve

Le thème du rêve apparaît pour la première fois dans la brillante tirade de Mercutio sur la reine Mab, cette fée qui apporte les rêves aux dormeurs. Nous avons déjà noté qu'avec son discours, Mercutio cherche à faire prendre conscience à Roméo de l'illusion et du rêve dans lesquels il vit. Il tente de lui faire comprendre que son amour pour Rosaline est tout aussi illusoire que les rêves distribués par la reine Mab et qu'il devrait redescendre sur terre en cessant de se lamenter et de l'aimer (I, 4, v. 71-72). Il est vrai que le discours pétrarquiste de Roméo au début de la pièce prouve l'artifice de son amour pour Rosaline : Roméo vit dans l'illusion d'aimer et en souffre (I, 1, v. 217-220) et seul son coup de foudre pour Juliette lui fera connaître le véritable amour (I, 5, v. 50-51). Pourtant, d'une certaine façon, Roméo et Juliette vont continuer à vivre dans l'illusion, dans la mesure où ils pensent que la force de leur passion leur permettra de surmonter l'obstacle de la haine entre leurs deux familles.

L'illusion de la mort

Une autre illusion marquante et caractéristique du baroque est celle de la fausse mort de Juliette (IV, 5). Cette mort illusoire créée par les effets de la potion du Frère a l'air si vraie que l'entourage de l'héroïne s'y laisse prendre et décide de l'enterrer dans le caveau familial (IV, 5, v. 25-27). En réalité, Juliette n'est que profondément endormie, comme l'expliquera Frère Laurent au prince dans sa longue tirade de la scène 3 de l'acte V (v. 241-242). Mais c'est cette illusion de la mort qui va entraîner celle du couple car ni Roméo ni l'entourage de Juliette ne connaissait le plan du moine.

LA MORT ET LA « MORTE VIVE »

La mort et son double

À l'instar de toutes les pièces baroques, le thème de la mort est fortement présent dans *Roméo et Juliette*. Ainsi, le couple est souvent tenté par l'idée du suicide (III, 2, v. 135-137 ; III, 3, v. 44-45) et Roméo se présente lui-même comme un « mort vivant » (I, 1, v. 220). La potion qui transforme Juliette en une « morte vive » souligne le mélange entre le thème de la mort, l'illusion et l'amour (IV, 5, v. 35-39 ; V, 3, v. 103-105). De plus, cette illusion de la mort fait écho à la véritable mort qui frappera le couple dans la scène finale. Le thème de la mort et de son double est donc récurrent dans la pièce.

Une vision baroque de la mort

La vision de la mort et sa description apparaissent à deux reprises dans la pièce. La première description est celle qu'en fait Juliette avant d'avaler la potion qui va la transformer en « morte vive » : elle est terrifiée par les images d'os et de cadavres aux côtés desquels elle sera endormie dans le caveau familial (IV, 3, v. 36-42). Cette description réaliste de la mort rappelle les vanités de la peinture baroque.

La seconde description de la mort est celle faite par Roméo dans la scène 1 de l'acte V par le biais de la boutique de l'apothicaire auquel il veut acheter du poison. En effet, le portrait qu'il brosse de l'apothicaire est déjà celui d'un mort (V, 1, v. 40-41) et les détails réalistes de la peinture de ses animaux empaillés (V, 1, v. 43-44) se rapprochent de celle faite par Juliette.

De plus, ces deux visions sont prémonitoires car les corps de Roméo et Juliette pourront être décrits de la même façon après leur mort (V, 3).

Illusion, paradoxes, mort, mise en scène... sont autant de thèmes qui reflètent le caractère baroque de *Roméo et Juliette*. La pièce de Shakespeare est donc tout aussi bien une tragédie baroque qu'une tragédie romantique.

11 | Les réécritures de *Roméo et Juliette*

Après avoir été longtemps critiquée, la tragédie de *Roméo et Juliette* est lue et appréciée par les romantiques au XIXe siècle. La pièce, enfin considérée comme un classique, inspire aussi bien Victor Hugo (1802-1885) qu'Alfred de Vigny (1797-1863). Cependant, les réécritures les plus célèbres de l'œuvre sont celles dues à l'opéra, à la musique et plus tard au cinéma.

OPÉRA, MUSIQUE ET BALLETS

Les opéras

Roméo et Juliette est une pièce qui n'a cessé de connaître un vif succès depuis sa création et il en est de même pour les opéras qui s'en sont inspirés. En 1796, Nicola Antonio Zingarelli (1752-1837) adapte le texte de Shakespeare dans un opéra nommé *Juliette et Roméo*. Plus tard, Vincenzo Bellini (1801-1835) en fait un opéra lyrique en deux actes représenté pour la première fois à Venise en 1830, *Les Capulet et les Montaigu*, dont le succès fut tel que le public porta l'auteur en triomphe après la troisième représentation. Du *Roméo et Juliette* de Charles Gounod (1818-1893), opéra en cinq actes représenté le 27 avril 1867 à Paris, on peut dire que certains de ses morceaux sont devenus des classiques du répertoire lyrique français.

Les adaptations musicales et les ballets

La pièce a également fait l'objet d'adaptations musicales. En 1839, Hector Berlioz (1803-1869) compose sur la trame de la tragédie de Shakespeare une symphonie dramatique et romantique où il tente de fondre musique symphonique et musique chorale. Les compositeurs russes Piotr Tchaïkovski (1840-1893), avec son ouverture en 1869 et Sergueï Prokofiev (1891-1953), avec son ballet en 1935, ont également été inspirés par *Roméo et Juliette*. Le ballet de Prokofiev a inspiré à son tour les chorégraphes Rudolf Noureev (1938-1993) et Maurice Béjart (né en 1927).

Plus tard, la pièce a été librement adaptée dans *West Side Story*, une comédie musicale sur une musique de Leonard Berstein (1918-1990) jouée à Broadway en 1957, avant d'être portée à l'écran en 1961.

ROMÉO ET JULIETTE AU CINÉMA

Si l'histoire atemporelle de *Roméo et Juliette* séduit toujours autant le public, cela est certes dû au génie de Shakespeare mais également au cinéma qui touche un large public. En effet, les adaptations cinématographiques de la pièce ont été nombreuses au cours du XXe siècle. En 1961, la comédie musicale *West Side Story* est adaptée au cinéma par Robert Wise et Jerome Robbins. Les deux familles ennemies sont devenues deux communautés rivales : une irlandaise et une portoricaine. Le thème principal du film est l'amour entre deux membres de chacune des communautés sur fond de racisme.

En 1968, Franco Zeffirelli tourne une version romantique et tragique de *Roméo et Juliette*, qui reconstitue fidèlement la Vérone du XVIe siècle. Tout comme les héros de la pièce, les deux principaux acteurs du film n'ont pas plus de dix-sept ans. Cette production anglo-italienne a connu un grand succès grâce au talent des acteurs, aux décors Renaissance et à la musique.

Plus près de nous, en 1996, le cinéaste Baz Luhrmann modernise la tragédie en la situant dans l'Amérique du XXe siècle. Les Montaigu et les Capulet sont campés par des familles mafieuses qu'oppose la guerre des gangs. Si cette adaptation est moderne (bande son très rock, montage rapide), le texte de Shakespeare, bien que raccourci, n'a pas été modifié. La scène du balcon est adaptée de manière originale avec le couple qui s'embrasse dans la piscine de la villa des Capulet. Cette adaptation a été très appréciée du public, notamment grâce à son originalité et au choix d'acteurs jeunes et célèbres pour interpréter les deux rôles principaux : Leonardo Di Caprio et Claire Danes.

Il existe de nombreuses autres adaptations de la pièce, tant à l'opéra qu'en musique, au théâtre ou au cinéma. Cette multiplicité et cette variété montrent que l'histoire de Roméo et Juliette fascine toujours autant et qu'elle peut encore être réécrite, tout comme Shakespeare l'avait fait en s'inspirant des sources italiennes de Salerno ou Luigi Da Porto.

Bibliographie

SUR SHAKESPEARE ET LA PÉRIODE ÉLISABÉTHAINE

- FLUCHÈRE Henri, *Shakespeare, dramaturge élisabéthain*, Gallimard, 1966.
- JONES-DAVIES Marie-Thérèse, *Shakespeare, le théâtre du monde*, Balland, 1987.
- LAROQUE François, *Shakespeare, comme il vous plaira*, Gallimard, « Découvertes », 1991.
- MOURTHÉ Claude, *Shakespeare*, Gallimard, « Folio biographies », 2006.

SUR *ROMÉO ET JULIETTE*

Sources françaises

- BRUNET François, *Le Mythe de Roméo et Juliette*, Privat, « Entre légendes et histoires », 2002.
- KRISTEVA Julia, « Roméo et Juliette : le couple d'amoureux », *Histoires d'amour*, Gallimard, « Folio essais », 1988.
- SIBONY Daniel, *Avec Shakespeare : Éclats et passions en douze pièces*, Le Seuil, « Points essais », 2003.
- VENET Gisèle, *La Représentation des passions en France et en Angleterre (XVIIe et XVIIIe siècles)*, Presses de la Sorbonne nouvelle, « Études Épistémê », 2002.

Sources anglaises

- ANDREWS John F., *Romeo and Juliet: Critical Essays*, Garland, 1993.
- MAHOOD M. M., *Shakespeare's Wordplay*, Methuen, 1957.
- WATTS Cedric, *Romeo and Juliet*, Harvester, New Critical Introductions, 1991.
- *The Cambridge Companion to Shakespeare Studies*, edited by Stanley Wells, Cambridge University Press, 1986.

Achevé d'imprimer chez Bussière à Saint-Amand-Montrond - France.
Dépôt légal n° 92776 - Août 2007 - N° d'impression : 072686/1